#교재검토
#선생님들
#감사합니다

Chunjae
Makes
Chunjae

▼

편집개발	이명진, 신원경, 이민선
디자인총괄	김희정
표지디자인	윤순미, 장미
내지디자인	박희춘, 박광순
제작	황성진, 조규영

발행일	2021년 1월 1일 초판 2021년 1월 1일 1쇄
발행인	(주)천재교육
주소	서울시 금천구 가산로9길 54
신고번호	제2001-000018호
고객센터	1577-0902
교재 내용문의	(02)3282-8884

중학 문법
2

시작은
하루
영어

시작하며

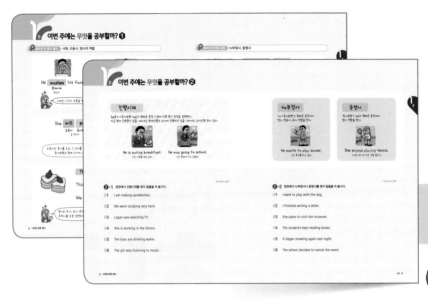

이번 주에는 무엇을 공부할까? ❶ ❷

· 그 주의 공부를 시작하기 전에 알아두면 좋은 문법 용어들을 삽화로 재미있게 구성하였습니다.
· 그 주에 공부할 문법을 간단한 문제로 미리 익힐 수 있게 구성하였습니다.

공부를 하기 전에
잠깐 시간을 내서
공부해 봐요.

한 주를 마무리 하며

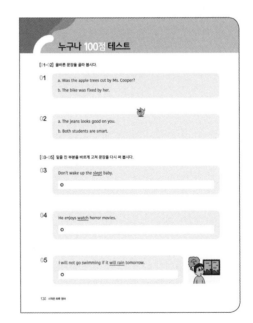

특강 창의·융합·코딩

만화를 읽고 창의·융합·코딩 문제를 풀면서 한 주 동안 공부한 내용을 전체적으로 복습할 수 있도록 하였습니다.

누구나 100점 테스트

한 주를 마무리하며 학습한 문법을 얼마나 잘 이해했는지 테스트할 수 있도록 하였습니다.

5일 동안

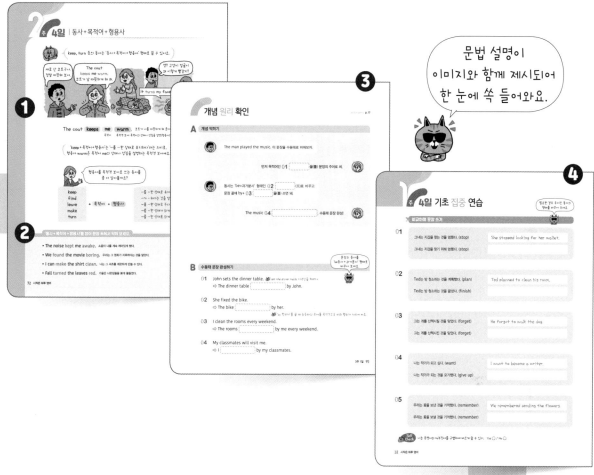

문법 설명이
이미지와 함께 제시되어
한 눈에 쏙 들어와요.

▌개념 설명 + 개념 원리 확인 + 기초 집중 연습

❶ 꼭 알아야 할 중요한 문법 개념을 이미지 삽화, 컷만화 등을 통해 이해
 하기 쉽게 구성하였습니다.

❷ 문법 개념을 영어 문장 속에서 익히며 정리할 수 있도록 하였습니다.

❸ 문제를 통해 문법 개념을 확실하게 이해할 수 있도록 하였습니다.

❹ 매일 배운 문법을 문제를 통해 연습할 수 있도록 구성하였습니다.

시작은 하루 영어
중학 문법 2 **차례**

이번 주에는 무엇을 공부할까? ①

He washes his face.
현재시제
씻는다

He ran in the park.
과거시제
달렸다

시제는 시간의 흐름을 현재, 과거, 미래와 같이 구분하는 것을 말해요.

She will go to school.
조동사 동사원형
갈 것이다

조동사는 동사를 도와 그 의미를 더해주는 말이에요. 조동사는 혼자 쓰이지 않고
동사원형과 함께 쓰이며, 어떤 주어가 와도 형태가 바뀌지 않아요.

The cake is delicious.
주어

This is the cake .
보어

We like the cake .
목적어

명사는 주어, 보어, 목적어 역할을 해요. 주어는 행동의 주체가 되는 말, 보어는 주어나
목적어를 보충 설명하는 말, 목적어는 동사가 나타내는 동작의 대상이 되는 말이에요.

to + 동사원형   to play
                  to부정사

동사원형 + -ing   playing
                   동명사

to부정사는 동사원형 앞에 to를 붙이고,
동명사는 동사원형 뒤에 -ing를 붙여서 만들어요.

to부정사

명사 역할	형용사 역할	부사 역할

동명사

주어	보어	목적어

to부정사는 문장에서 명사, 형용사, 부사 역할을 해요.
동명사는 문장에서 명사 역할을 해서 주어, 보어, 목적어로 쓰여요.

1주

1일	● 현재시제와 과거시제	● 미래시제와 진행시제
2일	● can, may, will	● should, must, used to
3일	● 명사 역할을 하는 to부정사	● 형용사와 부사 역할을 하는 to부정사
4일	● 동명사 Ⅰ	● 동명사와 to부정사
5일	● 의문사+to부정사	● too ~ to부정사와 enough to부정사

이번 주에는 무엇을 공부할까? ②

진행시제

'be동사＋동사원형 -ing'의 형태로 특정 시점에 진행 중인 동작을 표현한다.
지금 현재 진행 중인 일을 나타내는 현재진행과 과거에 진행하던 일을 나타내는 과거진행 등이 있다.

He is eating breakfast.
그는 아침을 먹고 있다.

He was going to school.
그는 학교에 가고 있었다.

ⓞAnswers **p. 1**

②-1 문장에서 진행시제를 찾아 밑줄을 쳐 봅시다.

01   I am making sandwiches.

02   We were studying very hard.

03   Logan was watching TV.

04   She is working in the library.

05   The boys are drinking water.

06   The girl was listening to music.

to부정사

'to+동사원형'의 형태로 문장에서
명사, 형용사, 부사 역할을 한다.

He wants to play soccer.

그는 축구를 하고 싶다.

동명사

'동사원형+-ing'의 형태로 문장에서
명사 역할을 한다.

She enjoys playing tennis.

그녀는 테니스 치는 것을 즐긴다.

○ Answers p. 1

2-2 문장에서 to부정사나 동명사를 찾아 밑줄을 쳐 봅시다.

01 I want to play with the dog.

02 I finished writing a letter.

03 She plans to visit the museum.

04 The students kept reading books.

05 It began snowing again last night.

06 The school decided to cancel the event.

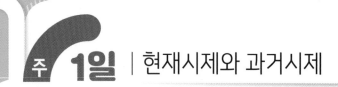

현재시제 be동사는 am / are / is, 일반동사는 동사원형을 주어의 인칭과 수에 맞게 써요.

현재의 동작·상태	습관·반복적인 일, 시간표	불변의 진리, 속담·격언

He is 15 years old. 그는 15살이다.	I go to school at 8 a.m. 나는 오전 8시에 등교한다.	Water boils at 100°C. 물은 100도에서 끓는다.

과거시제 be동사는 was / were, 일반동사는 '동사원형+(e)d' 또는 불규칙 변화형을 써요.

이미 끝난 과거의 동작·상태	역사적 사실

Dad built this house in 2005. 아빠는 2005년에 이 집을 지으셨다.	Edison invented the light bulb. 에디슨은 전구를 발명했다.

	현재시제	과거시제
형태	• be동사: am / are / is • 일반동사: 동사원형((e)s)	• be동사: was / were • 일반동사: 동사원형+(e)d / 불규칙 변화형
쓰임	• 현재의 동작이나 상태 • 습관이나 반복적인 일, 예정된 시간표 • 불변의 진리, 속담이나 격언	• 이미 끝난 과거의 동작이나 상태 • 역사적 사실

현재시제와 과거시제를 영어 문장 속에서 익혀 보세요.

현재 I **walk** to school. 나는 학교에 걸어서 간다.

The sun **rises** in the east. 해는 동쪽에서 뜬다.

과거 I **went** to the museum last weekend. 나는 지난 주말에 박물관에 갔다.

World War II **broke** out in 1939. 제2차 세계 대전은 1939년에 발발했다.

개념 원리 확인

○ Answers p. 1

A 알맞은 말 고르기

01 I (get / got) up at 7 every day.
😺 현재시제와 함께 자주 쓰는 표현: every day, always, usually 등

02 (Are / Were) you busy yesterday?
😺 과거시제와 함께 자주 쓰는 표현: yesterday, ago, last night 등

03 The Earth (goes / went) around the Sun.

04 It (isn't / wasn't) windy last night. 😺 be동사의 부정은 be동사 뒤에 not을 써요.

05 The Olympics (starts / started) in Athens.

06 Rome (is / were) the capital of Italy. 😺 capital 수도

B 알맞은 말 골라 쓰기

wasn't	drinks	goes	wrote	speak

01 Jack ☐ an orange juice every morning. Jack은 아침마다 오렌지 주스를 마신다.

02 Actions ☐ louder than words. 말보다 행동이 중요하다.

03 Sam ☐ to the park on Sundays. Sam은 일요일마다 공원에 간다.
😺 on Sundays 일요일마다

04 Jane Austen ☐ *Pride and Prejudice*. 제인 오스틴은 '오만과 편견'을 썼다.

05 Sally ☐ at home three hours ago. Sally는 세 시간 전에 집에 없었다.

미래시제 will과 be going to는 '~할 것이다'라는 뜻으로 미래의 일이나 계획을 나타내요.

will + 동사원형	**be going to + 동사원형**
주로 예정되지 않은 미래의 일을 예측	주로 가까운 미래의 일을 예측, 의도된 계획

I will travel around Europe.
나는 유럽을 여행할 것이다.

It is going to rain.
비가 내릴 것이다.

진행시제 '~하고 있(었)다, ~하는 중이(었)다'라는 뜻으로 진행 중인 일을 나타내요.

현재진행: am/are/is + 동사원형 -ing	**과거진행: was/were + 동사원형 -ing**
현재 진행 중인 일	과거의 한 시점에서 진행 중이었던 일

She is watching a movie.
그녀는 영화를 보고 있다.

I was swimming at 6 yesterday.
나는 어제 6시에 수영을 하고 있었다.

미래시제와 진행시제를 영어 문장 속에서 익혀 보세요.

미래 She **will call** me tomorrow.   그녀는 내일 내게 전화할 것이다.

We **are going to leave** at 2 o'clock.   우리는 2시에 떠날 것이다.

진행 Emily **is cleaning** her room.   Emily는 그녀의 방을 청소하고 있다.

My brothers **were planting** the trees.   내 남동생들은 나무를 심고 있었다.

개념 원리 확인

A 알맞은 말 골라 쓰기

painting	will	going	was	stay

01 I [   ] play badminton tomorrow. 나는 내일 배드민턴을 칠 것이다.

02 Nate is going to [   ] at home. Nate는 집에 머물 것이다.

03 Mike [   ] singing at that time. Mike는 그때 노래를 부르고 있었다.

🐾 at that time 그때

04 We're not [   ] to make spaghetti. 우리는 스파게티를 만들지 않을 것이다.

05 They're [   ] the wall now. 그들은 지금 벽에 페인트칠을 하고 있다.

B 주어진 말을 배열하여 쓰기

01 그는 손을 씻고 있다. (washing, is, his hands)

He [   ].

02 그녀는 밤에 개를 산책시키지 않을 것이다. (walk, won't, her dog) 🐾 won't = will not

She [   ] at night.

03 그들은 쿠키를 만들고 있었니? (making, they, were)

[   ] cookies?

04 Bella는 오늘밤에 뮤지컬을 볼 것이다. (going, is, see, to)

Bella [   ] the musical tonight.

> **조건에 맞게 문장 바꿔 쓰기**

01

과거시제로

The cookies look delicious.

02

현재진행시제로

He threw a tennis ball.

03

과거진행시제로

My team won the match. won은 win(이기다)의 과거형이에요.

04

미래시제로
(will)

I bought a new backpack.

05

미래시제로
(be going to)

The farmers pick the apples.

Self
Check 나는 동사의 시제를 구별하여 쓸 수 있다. Yes ◯ / No ◯

주어진 말을 배열하여 쓰기

06

너는 그때 자전거를 타고 있었니? (you, riding, at that time, were, the bike)

07

날씨가 화창할 것이다. (sunny, to, it, going, is, be)

08

콜럼버스는 아메리카 대륙을 1492년에 발견했다. (America, discovered, Columbus, in 1492)

09

우리는 주말에 10시에 일어난다. (get up, we, on weekends, at 10)

10

Ben은 가족과 캠핑을 가지 않을 것이다. (with, Ben, go camping, his family, won't)

Self Check 나는 동사의 시제에 맞게 문장을 바르게 배열하여 쓸 수 있다. Yes ○ / No ○

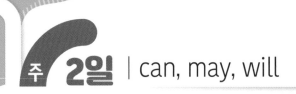

can ¹능력 ²허가
~할 수 있다 ~해도 좋다

Can you solve this problem?
너는 이 문제를 풀 수 있니?

Sure, I can.
물론, 할 수 있지.

may ¹약한 추측 ²허가
~일지도 모른다 ~해도 좋다

치킨 먹어도 되니?

응. 그런데 It may be spicy.
매울지도 몰라.

🐿 can이 능력을 나타낼 때 be able to로 바꿔 쓸 수 있어요.

will ¹미래의 일 ²의지
~할 것이다 ~하겠다

달리기 시합에서 이길 자신 있니?

당연하지. I will win the race.
내가 시합에서 이기겠어.

🐿 '~할 수 있을 것이다'라는 의미로 will과 can을 함께 쓰고 싶을 땐 will be able to로 써요.

조동사		의미	부정
can	능력·가능, 허가	~할 수 있다 (= be able to), ~해도 좋다 (= may)	cannot [can't]
may	약한 추측, 허가	~일지도 모른다, ~해도 좋다 (= can)	may not
will	미래의 일, 의지	~할 것이다 (= be going to), ~하겠다	will not [won't]

can, may, will을 영어 문장 속에서 익혀 보세요.

능력	He **can** bake bread. 그는 빵을 구울 수 있다.
허가	**Can** I leave the classroom? 제가 교실을 나가도 되나요?
약한 추측	The woman **may** be busy. 그 여자는 바쁠지도 모른다.
미래의 일	She **will** have an omelet for breakfast. 그녀는 아침으로 오믈렛을 먹을 것이다.
의지	We **will** finish the work. 우리는 그 일을 끝내겠다.

개념 원리 확인

○Answers p. 2

A 밑줄 친 조동사의 의미에 ☑표 하기

01 I <u>won't</u> forgive his behavior. ☐ 의지 ☐ 허가 ☐ 능력
🐱 behavior 행동

02 You <u>may</u> use this computer. ☐ 미래 ☐ 허가 ☐ 능력

03 Mr. Choi <u>will</u> move to a new house. ☐ 능력 ☐ 미래 ☐ 허가
🐱 move 이사하다

04 She <u>can</u> put her bag here. ☐ 미래 ☐ 추측 ☐ 허가

05 It <u>may</u> be windy and cold this weekend. ☐ 능력 ☐ 허가 ☐ 추측

06 Marianne <u>can</u> speak French and Italian. ☐ 능력 ☐ 미래 ☐ 허가
🐱 French 프랑스어, Italian 이탈리아어

B 알맞은 말 고르기

01 He (is able / is able to) design a car.

02 There (may be / may are) a problem.
🐱 'There+be동사'는 '~이 있다'라는 뜻이에요.

03 Terry will (buy not / not buy) new shoes.

04 You (may not / may don't) take photos here.

05 She (can't come / can not come) in without a ticket. 🐱 without ~없이

06 My sister (will can / will be able to) ride a bike alone.

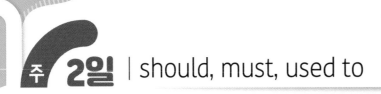

의무를 나타내는 must는 have to로 바꿔 쓸 수 있어요.

조동사	의미		부정
should	의무, 충고	~해야 한다, ~하는 것이 좋다	should not [shouldn't]
must	의무, 강한 추측	~해야 한다(= have to), ~임에 틀림없다	must not [mustn't] ~해서는 안 된다(금지)
used to	과거의 습관·상태	~하곤 했다, ~이었다	

should, must, used to를 영어 문장 속에서 익혀 보세요.

| 의무 | You **should** wear gloves. | 너는 장갑을 껴야 한다. |

| 충고 | He **should** save his time. | 그는 시간을 절약하는 것이 좋다. |

| 강한 추측 | Alex **must** be in the library. | Alex는 도서관에 있음에 틀림없다. |

| 과거의 상태 | It **used to** be a beautiful garden. | 그것은 아름다운 정원이었다. |

개념 원리 확인

○Answers p. 3

A 밑줄 친 부분에 유의하여 우리말로 쓰기

01 Drivers <u>should</u> wear seat belts.

☺ should는 must보다 약한 강도의 의무를 나타내요.

02 He <u>must</u> be very upset.

☺ upset 속상한

03 Amy <u>used to</u> love eating chocolate.

04 They <u>should</u> exercise.

05 My brother and I <u>must</u> go home early.

06 She <u>used to</u> be a tennis player.

B 밑줄 친 부분 바르게 고쳐 쓰기

01 Jack <u>have to deliver</u> this box by today.

☺ by ~까지

02 She <u>used to playing</u> the piano.

03 The children <u>should stay not</u> up late.

☺ stay up late 늦게까지 깨어 있다

04 This painting <u>must been</u> over 100 years old.

05 He <u>used to is</u> a teacher.

06 You <u>not must open</u> this window.

2일 기초 집중 연습

필요한 경우 단어를
추가하여 쓰세요.

> **주어진 말을 활용하여 문장 완성하기**

01 우리는 쉽게 포기해서는 안 된다.

We ⬚ easily.

should,
give up

🐱 give up 포기하다

02 여기에 공원이 있었다.

There ⬚ here.

used to,
be

03 그녀는 이 기계를 고칠 수 있다.

She ⬚ this machine.

be able to,
fix

04 너는 그 책을 2주 동안 빌려도 된다.

You ⬚ for two weeks.

may,
borrow

05 그의 새 자전거는 비싼 게 틀림없다.

His new bike ⬚ .

must,
expensive

🐱 expensive 비싼

 Self Check 나는 조동사를 사용하여 문장을 완성할 수 있다. Yes ◯ / No ◯

주어진 말을 배열하여 쓰기

06

너는 잠시 쉬어도 된다. (for a moment, can, take a break, you) 🐱 for a moment 잠시

07

날씨는 따뜻하고 맑을 것이다. (will, the weather, warm and sunny, be)

08

그녀는 좋은 지도자가 아닐지도 모른다. (not, a good leader, she, may, be)

09

Max는 아침에 우유를 마시곤 했다. (in the morning, used to, drink, Max, milk)

10

방문자들은 신발을 벗어야 한다. (take off, have to, the visitors, their shoes) 🐱 take off 벗다

 Self Check 나는 조동사가 있는 문장을 바르게 배열하여 쓸 수 있다. Yes ○ / No ○

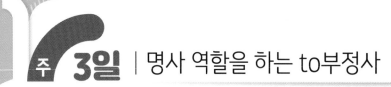

 to부정사는 'to+동사원형'의 형태로 문장에서 명사 역할을 해요.

하다, 치다 **play** ➡ **to play** 하는 것, 치는 것

동사　　　　명사

to부정사가 문장에서 명사 역할을 하는 경우 '~하는 것'으로 해석해요.
명사 역할을 하는 to부정사는 문장에서 주어, 보어, 목적어로 쓰여요.

주어　　**To play** tennis is easy. 테니스 치는 것은 쉽다.

보어　　Our hobby is **to play** tennis. 우리의 취미는 테니스 치는 것이다.

목적어　　We want **to play** tennis. 우리는 테니스 치는 것을 원한다.

　　to부정사를 목적어로 쓰는 동사는 want, decide, plan 등이 있어요.

명사 역할을 하는 to부정사에 대해 읽고, 영어 문장 속에서 익혀 보세요.

명사 역할을 하는 to부정사: 문장에서 주어, 보어, 목적어 역할

주어　　**To cook is fun.** 요리하는 것은 재미있다.

보어　　**His job is to cook food for students.** 그의 일은 학생들을 위해 음식을 요리하는 것이다.

목적어　　**He wants to cook dinner.** 그는 저녁을 요리하길 원한다.

개념 원리 확인

◦ Answers p. 4

A to부정사에 밑줄 치고, 문장에서의 역할에 ☑표 하기

01 Our plan is to stay home.　　　　☐ 주어　☐ 목적어　☐ 보어

02 They want to clean the room.　　　☐ 주어　☐ 목적어　☐ 보어

03 To learn Spanish is not easy.　　　☐ 주어　☐ 목적어　☐ 보어

04 Brian decided not to buy a new bag.　☐ 주어　☐ 목적어　☐ 보어
　　　　🐱 to부정사의 부정은 to부정사 앞에 not을 써요.

05 Her dream is to become a famous singer.　☐ 주어　☐ 목적어　☐ 보어

B 주어진 말을 to부정사로 바꿔 문장 다시 쓰기

01 (follow) the rules is important.

　　　[_____]

02 His goal is (pass) the exam.　🐱 pass the exam 시험에 통과하다

　　　[_____]

03 The students didn't want (climb) the mountain.

　　　[_____]

04 (win) the game was exciting.

　　　[_____]

05 My family planned (have) a party on my birthday.

　　　[_____]

형용사 역할 to부정사가 형용사처럼 '~할'이라는 의미로 명사나 대명사를 꾸미는 역할을 해요.

먹다 **eat** ➜ **to eat** 먹을
동사　　　　　형용사

He has <u>fish</u> to eat . 그는 먹을 생선이 있다.

부사 역할 to부정사가 부사처럼 동사나 형용사를 꾸며 목적이나 감정의 원인 등을 나타내요.

먹다 **eat** ➜ **to eat** 먹기 위해서 / 먹어서
동사　　　　　부사

He bought fish to eat . (목적: ~하기 위해서, ~하러)
그는 먹기 위해서 생선을 샀다.

He was excited to eat fish. (감정의 원인: ~하니, ~해서)
그는 생선을 먹어서 신났다.

형용사와 부사 역할을 하는 to부정사를 영어 문장 속에서 익혀 보세요.

형용사 역할 We need books **to read**. 우리는 읽을 책이 필요하다.

We have something **to read**. 우리는 읽을 것을 가지고 있다.

부사 역할 We went to the library **to read** books. 우리는 책을 읽기 위해서 도서관에 갔다.

We were bored **to read** books. 우리는 책을 읽어서 지루했다.

개념 원리 확인

A 개념 다지기

to부정사는 '~할'이라는 뜻으로 (대)명사를 꾸미는 **01** ☐☐☐ 역할을 해.

맞아. to부정사는 동사나 형용사를 꾸미는 **02** ☐☐ 역할도 해.

03 ☐☐을(를) 나타낼 때는 '~하기 위해서, ~하러'라는 뜻이야.

그리고 **04** ☐☐☐☐☐을(를) 나타낼 때는 '~하니, ~해서'라는 뜻이지.

B 밑줄 친 to부정사의 우리말 뜻 쓰기

01 He wanted some water <u>to drink</u>.

☐

02 I exercise every day <u>to keep</u> healthy.

☐

03 Sam was disappointed <u>to lose</u> the game.

😺 disappointed 실망한, lose the game 경기를 지다

☐

04 Julie got up early <u>to catch</u> the train.

☐

05 The team was surprised <u>to hear</u> the news.

☐

06 My sister had something <u>to talk</u> about.

☐

주 3일 기초 집중 연습

우리말 뜻에 맞게 동사를 to부정사로 바꾸어 쓰세요.

> **주어진 말을 이용하여 to부정사 문장 완성하기**

01
그 소녀들은 축구 경기를 봐서 신났다.

The girls were excited _____.

watch, a soccer game

02
비밀번호를 바꾸는 것은 어렵지 않다.

_____ is not difficult.

change, the password

03
그는 수리할 차가 많이 있었다.

He had _____.

many cars, fix

04
우리는 별을 보기 위해서 창문을 열었다.

We opened the windows _____.

see, stars

05
Sue의 계획은 이번 주말에 동물원을 방문하는 것이다.

Sue's plan is _____ this weekend.

visit, the zoo

 Self Check 나는 to부정사를 이용하여 문장을 완성할 수 있다. Yes ○ / No ○

> **주어진 말을 배열하여 쓰기**

1주

3일

06

Joe는 그의 개를 찾아서 기뻤다. (find, glad, to, his dog, Joe, was)

07

너는 나를 도와줄 시간이 있니? (you, to, do, have time, help me)

08

우리는 새로운 선생님을 곧 만나게 되길 희망한다. (to, soon, meet, we, a new teacher, hope)

09

Katie는 자전거를 타기 위해서 공원에 갔다. (to the park, a bike, Katie, ride, went, to)

10

내 꿈은 음악가가 되는 것이다. (a musician, my dream, to, is, become)

 Self Check 나는 to부정사가 쓰인 문장을 바르게 배열하여 쓸 수 있다. Yes ◯ / No ◯

 동명사는 '동사원형+-ing' 형태로 동사를 명사처럼 만든 것이에요.
이때, 동명사는 '~하는 것, ~하기'로 해석해요.

굽다 **bake** ➡ **baking** 굽는 것

동사　　　　　명사

 동명사는 문장에서 명사처럼 주어, 보어, 목적어 역할을 해요.

주어	**Baking** bread is fun. 빵을 굽는 것은 재미있다.
보어	My interest is **baking** bread. 내 관심사는 빵을 굽는 것이다.
동사의 목적어	I enjoy **baking** bread. 나는 빵 굽는 것을 즐긴다.
전치사의 목적어	I'm good at **baking** bread. 나는 빵 굽는 것을 잘한다.

| 알아두면 유용한 동명사 표현들 | be busy 동사원형+-ing ~하느라 바쁘다
feel like 동사원형+-ing ~하고 싶다
look forward to 동사원형+-ing ~하기를 기대하다 |

🐱 동명사가 주어일 때 단수 취급하며, 동명사의 부정은 'not+동사원형 -ing' 형태로 써요.

동명사를 영어 문장 속에서 익혀 보세요.

- **Watching** movies is her hobby. 영화 보는 것은 그녀의 취미이다.

- Her hobby is **watching** movies. 그녀의 취미는 영화 보는 것이다.

- I enjoy not **doing** anything on weekends. 나는 주말에 아무것도 하지 않는 것을 즐긴다.

- He was busy **writing** a report. 그는 보고서를 쓰느라 바빴다.

개념 원리 확인

A 개념 다지기

 동명사는 '동사원형+01 [   ]' 형태로 해석은 '~하는 것, ~하기'로 해.

동명사는 문장에서 02 [ ][ ] 처럼 주어, 보어, 목적어 역할을 해.

 동명사가 주어일 때 be동사의 현재형은 03 (is / are)를 써.

전치사의 목적어로는 04 (동명사 / 동사원형)만 가능해.

 동명사의 부정은 동명사 05 (앞 / 뒤)에 not을 써.

B 알맞은 말 고르기

01 Did you enjoy (play / playing) baseball?

02 Traveling (is / are) one of my interests. 🐱 one of + 복수명사: ~중 하나

03 He was busy (talk / talking) to his friends.

04 Our hope is (not breaking / breaking not) the rules. 🐱 break the rules 규칙을 위반하다

05 We talked about (to go / going) to Jeju-do.

목적어로 동명사나 to부정사를 사용하는 동사들을 알아볼까요?

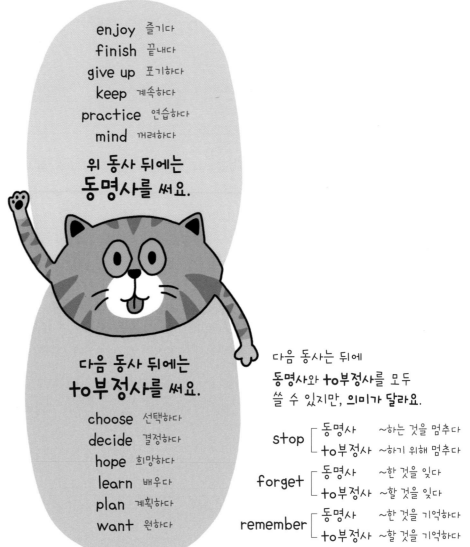

enjoy 즐기다
finish 끝내다
give up 포기하다
keep 계속하다
practice 연습하다
mind 꺼려하다

위 동사 뒤에는 동명사를 써요.

다음 동사는 뒤에 **동명사와 to부정사를 모두 쓸 수 있고, 의미도 같아요.**

begin 시작하다
start 시작하다
like 좋아하다
love 사랑하다
hate 미워하다

다음 동사 뒤에는 to부정사를 써요.

choose 선택하다
decide 결정하다
hope 희망하다
learn 배우다
plan 계획하다
want 원하다

다음 동사는 뒤에 **동명사와 to부정사를 모두 쓸 수 있지만, 의미가 달라요.**

stop ┌ 동명사 ~하는 것을 멈추다
　　 └ to부정사 ~하기 위해 멈추다

forget ┌ 동명사 ~한 것을 잊다
　　　 └ to부정사 ~할 것을 잊다

remember ┌ 동명사 ~한 것을 기억하다
　　　　 └ to부정사 ~할 것을 기억하다

동명사와 to부정사를 영어 문장 속에서 익혀 보세요.

- I **enjoy reading** English books. 나는 영어책 읽는 것을 즐긴다.

- I **decided to learn** Spanish. 나는 스페인어를 배우기로 결심했다.

- I **started keeping [to keep]** a diary. 나는 일기를 쓰기 시작했다.

- I **stopped talking** on the phone. 나는 전화 통화하는 것을 멈췄다.

- I **stopped to talk** on the phone. 나는 전화 통화하기 위해 멈췄다.

개념 원리 확인

○ Answers **p. 5**

A 알맞은 말 고르기

01 I decided (going / to go) to the museum.

02 Don't forget (to lock / locking) the door later.

03 Would you mind (to turn / turning) the music down?
🐱 turn down (소리 등을) 낮추다

04 Jenny wants (baking / to bake) some cookies.

05 He never gave up (making / to make) new friends.

06 Soyun remembered (watching / to watch) this movie last week.

B 밑줄 친 부분 바르게 고쳐 쓰기

01 He stopped <u>say</u> hello to Mina. 그는 미나에게 인사하기 위해 멈췄다. ☐
🐱 say hello 인사하다

02 They stopped <u>eat</u> snacks at night. 그들은 밤에 간식 먹는 것을 그만두었다. ☐

03 I won't forget <u>turn</u> off the TV. 나는 TV를 끌 것을 잊지 않을 것이다. ☐

04 She remembered <u>wear</u> her helmet. 그녀는 헬멧을 쓸 것을 기억했다. ☐

05 We remembered <u>meet</u> him once. 우리는 그를 한 번 만났던 것을 기억했다. ☐
🐱 once 한 번

06 It started <u>snow</u> an hour ago. 한 시간 전에 눈이 오기 시작했다. ☐

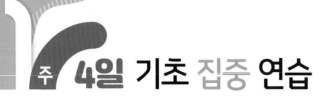

필요한 경우 주어진 동사의
형태를 바꾸어 쓰세요.

비교하며 문장 쓰기

01

그녀는 지갑을 찾는 것을 멈췄다. (stop)

> She stopped looking for her wallet.

그녀는 지갑을 찾기 위해 멈췄다. (stop)

>

02

Ted는 방 청소하는 것을 계획했다. (plan)

> Ted planned to clean his room.

Ted는 방 청소하는 것을 끝냈다. (finish)

>

03

그는 개를 산책시킬 것을 잊었다. (forget)

> He forgot to walk the dog.

그는 개를 산책시킨 것을 잊었다. (forget)

>

04

나는 작가가 되고 싶다. (want)

> I want to become a writer.

나는 작가가 되는 것을 포기했다. (give up)

>

05

우리는 꽃을 보낸 것을 기억했다. (remember)

> We remembered sending the flowers.

우리는 꽃을 보낼 것을 기억했다. (remember)

>

 Self Check 나는 동명사와 to부정사를 구별하여 바르게 쓸 수 있다. Yes ◯ / No ◯

주어진 말을 배열하여 쓰기

06

최선을 다하는 것은 항상 중요하다. (doing, is, always, your best, important)

07

어떤 말도 하지 않아서 고마워. (not, thank, saying anything, for, you)

🐱 동명사의 부정은 동명사 앞에 not을 써요.

08

나는 이번 여름에 수영을 배울 것이다. (to, will, I, this summer, learn, swim)

09

Louis는 바이올린을 연주하기 시작했다. (the violin, started, Louis, playing)

10

그녀의 습관은 물을 많이 마시는 것이었다. (water, drinking, her habit, a lot of, was)

🐱 a lot of 많은

Self Check 나는 동명사와 to부정사가 쓰인 문장을 바르게 배열하여 쓸 수 있다. Yes ◯ / No ◯

I don't know **where to find** my pencil.
나는 내 연필을 어디에서 찾을지 모르겠다.

'의문사 + to부정사'에 어떤 것이 있는지 알아볼까?

how + to부정사	어떻게 ~할지, ~하는 방법
what + to부정사	무엇을 ~할지
when + to부정사	언제 ~할지
where + to부정사	어디에서 ~할지

🐱 why는 to부정사와 쓰지 않아요.

'의문사 + to부정사'를 영어 문장 속에서 익혀 보세요.

- He learned **how to cook** spaghetti. 그는 스파게티를 요리하는 방법을 배웠다.

- Tell us **what to do** next. 다음에 무엇을 할지 우리에게 말해 줘.

- She showed me **when to push** the button. 그녀는 언제 버튼을 눌러야 할지 내게 보여줬다.

- I know **where to find** the answer. 나는 답을 어디에서 찾을지 안다.

개념 원리 확인

A '의문사＋to부정사'에 밑줄 치고, 우리말로 쓰기

01 Billy hasn't decided where to go. 🐱 decide 결정하다

02 We don't know when to leave.

03 Can you teach me how to fly a kite? 🐱 fly a kite 연을 날리다

04 I didn't know what to say in the meeting.

05 Let me know when to start the movie.

B 주어진 말을 '의문사＋to부정사'로 바꿔 문장 다시 쓰기

01 They didn't tell us (when, arrive).

02 The problem is (what, wear) tomorrow.

03 My brother learned (how, drive) a car.

04 Do you know (where, put) the vase? 🐱 vase 꽃병

05 Will you show me (how, make) a sandwich?

too ~ to부정사 ~하기에 너무 …한/하게

too 형용사/부사 **to부정사**

= so + 형용사/부사 + that + 주어 + can't …

It's too hot to run. 날씨가 달리기에 너무 덥다.
= It's so hot that I can't run.

enough to부정사 ~할 정도로 충분히 …한/하게

형용사/부사 **enough** **to부정사**

= so + 형용사/부사 + that + 주어 + can …

It's hot enough to swim. 날씨가 수영할 정도로 충분히 덥다.
= It's so hot that I can swim.

too ~ to부정사	~하기에 너무 …한/하게 = so + 형용사/부사 + that + 주어 + can't …
enough to부정사	~할 정도로 충분히 …한/하게 = so + 형용사/부사 + that + 주어 + can …

too ~ to부정사와 enough to부정사를 영어 문장 속에서 익혀 보세요.

• We're **too** busy **to** exercise. 우리는 운동하기에 너무 바쁘다.

= We're **so** busy **that** we **can't** exercise.

• We're smart **enough to** understand it. 우리는 그것을 이해할 정도로 충분히 똑똑하다.

= We're **so** smart **that** we **can** understand it.

개념 원리 확인

A 알맞은 말 고르기

01 I'm (to / too) sad to say a word.

02 Nick was (short too / too short) to reach the tree. 🐱 reach ~에 닿다

03 Carol practiced (so / enough) hard that she could win.
🐱 주절의 시제가 과거일 때는 could를 써요.

04 This box is (to lift too heavy / too heavy to lift). 🐱 lift 들어 올리다

05 The water was (warm enough / enough warm) to drink.

06 Subin was so tired that he (could / couldn't) go to the party.

B 주어진 말을 배열하여 문장 다시 쓰기

01 The soup was (to, cold, too, eat).

02 Matthew got up (enough, see, to, early) the sunrise. 🐱 sunrise 해돋이

03 He was (smart, could, pass, so, that, he) the test.

04 Emma is (can't, that, so, sleepy, she) read the book.

동사를 to부정사의 형태로 바꾸어 문장을 완성하세요.

주어진 말을 이용하여 문장 완성하기

01 그는 후식을 먹기에 너무 배가 불렀다.

He was _____ dessert.

> too,
> full,
> eat

02 아빠는 내게 파이 만드는 방법을 가르쳐 주셨다.

Dad taught me _____ .

> how,
> make a pie

03 경찰은 도둑을 잡을 정도로 충분히 빨리 달렸다.

The police officer ran _____ the thief.

> fast,
> enough,
> catch

04 그 사서는 그녀에게 책을 언제 반납할지 말해주지 않았다.

The librarian didn't tell her _____ .

> when,
> return the
> book

05 그 여자는 그녀의 차를 어디에 주차할지 내게 물었다.

The woman asked me _____ .

> where,
> park her
> car

 Self Check   나는 to부정사 구문을 바르게 쓸 수 있다.   Yes ◯ / No ◯

주어진 말을 배열하여 쓰기

1주

5일

06

나는 무엇을 쓸지 모르겠다. (to, don't, know, write, I, what)

07

그 문제는 풀기에 너무 어려웠다. (difficult, was, to, the problem, too, solve)

08

너는 표를 어디에서 살지 아니? (buy, to, do, the tickets, you, know, where)

09

Sue는 매우 용감해서 사자를 만질 수 있었다. (touch the lion, Sue, she, so brave that, was, could)

10

셔츠가 너무 작아서 나는 그것을 입을 수 없다. (is, can't, so small that, wear it, I, the shirt)

 Self Check 나는 to부정사 구문이 쓰인 문장을 바르게 배열하여 쓸 수 있다. Yes ○ / No ○

▶ 보라색 글자에 유의하며, 만화를 읽어 봅시다.

해석

1-1 엄마: 너는 샌드보드를 타도 된단다. 헬멧을 써야 해.

1-2 나는 샌드보드를 타고 있다. 나는 그것을 타는 것을 좋아한다.

2-1 남: 나는 뭔가를 마시고 싶어.

2-2 남: 연못이 있었는데.

can은 '~할 수 있다, ~해도 된다'는 의미의 조동사예요. used to는 '~하곤 했다, ~이었다'는 의미로 현재는 그렇지 않다는 것을 나타내는 조동사예요.

▶ 보라색 글자에 유의하며, 만화를 읽어 봅시다.

❶ They decide **to put** the bell on the cat's neck.

❷ **Carrying** the bell is not easy.

❸ I don't know **how to tie** the string.

❹ They are **too afraid to put** it on the cat's neck.

Meow

해석

❶ 그들은 고양이의 목에 방울을 달기로 결정한다.

❷ 쥐: 방울을 옮기는 것은 쉽지 않아.

❸ 쥐: 나는 끈을 묶는 방법을 몰라.

❹ 그들은 고양이 목에 그것을 달기에 너무 무섭다.

to부정사는 'to＋동사원형'의 형태로
명사, 형용사, 부사 역할을 해요.
동명사는 '동사원형＋-ing'의 형태로
주어, 보어, 목적어로 쓰여요.

A 그림을 보고, 대화를 완성해 봅시다.

1

2

3

1　A: Do you know 　　　　　　 　　　　　　 solve this problem?

　　　너는 이 문제를 푸는 방법을 아니?

　　B: Of course. I'm able to solve it.

　　　물론이지. 나는 그것을 풀 수 있어.

2　A: 　　　　　　 I feed the monkeys?

　　　내가 원숭이에게 먹이를 줘도 될까?

　　B: No, you can't. You 　　　　　　 not feed them.

　　　아니, 안 돼. 너는 그들에게 먹이를 주면 안돼.

3　A: Do you want 　　　　　　 　　　　　　 tennis with me?

　　　나와 테니스 치기를 원하니?

　　B: Yes. I'm very good at playing tennis.

　　　응. 나는 테니스를 아주 잘쳐.

B 주어진 길을 따라 고양이가 도착할 수 있도록 화살표의 지시대로 문장을 고쳐 써 봅시다.

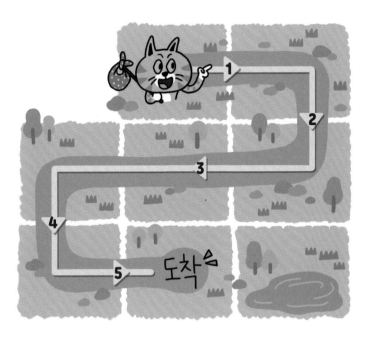

1주
특강

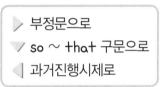

▶ 부정문으로
▽ so ~ that 구문으로
◁ 과거진행시제로

1 Brian may have a toothache. ▷

2 My sister is too young to drive a car. ▽

3 The boys ate some ice cream. ◁

4 The man was hungry enough to eat the cake. ▽

5 Ashley will play computer games. ▷

C 번호를 따라가며 문제를 풀어 봅시다.

START

1
Kevin (goes / went) hiking on weekends.
Kevin은 주말마다 하이킹하러 간다.

2
밑줄 친 부분을 바르게 고쳐 문장 다시 쓰기
The Korean War <u>breaks</u> out in 1950.
➡ _____

4
The woman _____ be
a police officer.
그 여자는 경찰임에 틀림없다.

3
Does the boy practice his speech?
현재진행시제로
_____ the boy _____ his speech?

5
The building _____ _____ be a library.
그 건물은 예전에는 도서관이었다.

6
The driver decided
(getting / to get) some rest.

Answers p. 7

7

밑줄 친 부분을 바르게 고쳐 문장 다시 쓰기

We look forward to <u>see</u> you soon.

➡ ______________________

8

주어진 말을 배열하여 쓰기

사람들은 계속해서 내게 질문했다.

(questions, kept, people, asking, me)

➡ ______________________

9

to부정사를 목적어로 갖는 동사 <u>모두</u> 고르기

mind choose give up want

hope finish enjoy learn

10

Henry remembered (going / to go) to the dentist.

Henry는 치과에 갈 것을 기억했다.

11

Let's decide what ________ ________ for lunch.

점심으로 무엇을 먹을지 정하자.

12

Jason was (too sick / sick enough) to go to work.

FINISH

[01-02] 올바른 문장을 골라 봅시다.

01

a. The Olympics starts in Athens.

b. The Earth goes around the Sun.

02

a. My sister will can ride a bike alone.

b. This painting must be over 100 years old.

[03-05] 밑줄 친 부분을 바르게 고쳐 문장을 다시 써 봅시다.

03

He used to <u>is</u> a teacher.

➜

04

Our hope is <u>breaking not</u> the rules.

➜

05

The water was <u>enough warm</u> to drink.

➜

[06-07] 주어진 말을 바르게 배열하여 써 봅시다.

06

Jack은 이 상자를 배달해야 한다. (deliver, Jack, this box, has to)

07

Joe는 그 소식을 들어서 기뻤다. (Joe, glad, hear, the news, was, to)

[08-10] 괄호 안에서 알맞은 말을 골라 문장을 다시 써 봅시다.

08

Sam (goes / going) to the park on Sundays.

➡

09

He never gave up (making / to make) new friends.

➡

10

Traveling (is / are) one of my interests.

➡

이번 주에는 무엇을 공부할까? ❶

I have **a friend** **who** loves winter.

선행사
친구

관계대명사
= he (a friend)

who   which   whose   whom   that

관계대명사는 '접속사＋대명사' 역할을 해요.
관계대명사가 이끄는 절은 앞에 오는 명사인 선행사를 수식해요.
관계대명사에는 who(m), which, whose, that 등이 있어요.

have / has ＋ 과거분사

현재완료

I **have cooked** for three hours.

현재완료
요리를 해왔다

현재완료는 'have / has ＋ 과거분사' 형태로,
과거에 시작된 일이 현재까지 영향을 줄 때 써요.
과거의 경험, 과거에 시작된 일이 현재까지 계속되거나 완료된 상황 등을 나타내요.

보어는 어떤 말을 보충 설명해 줘요.
그럼, 주격 보어와 목적격 보어에 대해 알아볼까요?

He is an inventor .

주어 ┈┈ = ┈┈ 주격 보어
그는　　　　　　　발명가

주격 보어는 주어를 보충 설명하는 말로 주로 동사 뒤에 쓰여요.
위 문장에서 an inventor는 주격 보어로 주어 He를 보충 설명해요.

I call him the best inventor .

목적어 ┈┈ = ┈┈ 목적격 보어
그를　　　　　　최고의 발명가

목적격 보어는 목적어를 보충 설명하는 말로 주로 목적어 뒤에 쓰여요.
위 문장에서 the best inventor는 목적격 보어로 목적어 him을 보충 설명해요.

2주

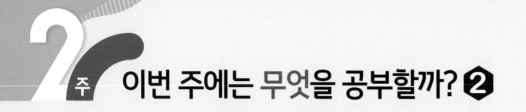
관계대명사

접속사와 대명사 역할을 하는 말로, 관계대명사가 이끄는 절은 선행사를 수식한다.
예 who, which, whose, that 등

Look at the carrot which is very big.

매우 큰 당근을 봐.

○ Answers p. 8

2-1 관계대명사를 찾아 밑줄을 쳐 봅시다.

01 Do you know the boy who wears the cap?

02 The turtle is an animal which moves slowly.

03 Ted lost the wallet which I made.

04 Jane knows the boy whose name is Tom.

05 I have a doll whose hair is yellow.

06 The book that I bought yesterday was interesting.

주격 보어

문장에서 주어를 보충 설명하는 말로 주로 동사 뒤에 온다.

He is a pilot.

그는 조종사이다.

목적격 보어

문장에서 목적어를 보충 설명하는 말로 주로 목적어 뒤에 온다.

Exercise keeps her healthy.

운동은 그녀를 건강하게 한다.

○ Answers p. 8

2-2 밑줄 친 부분이 주격 보어인지 목적격 보어인지 구별해 봅시다.

		주격 보어	목적격 보어
01	My hobby is <u>cooking</u>.	○	○
02	Thomas is <u>a smart student</u>.	○	○
03	My mother was <u>a scientist</u>.	○	○
04	People call him <u>Bill</u>.	○	○
05	The music makes me <u>happy</u>.	○	○
06	I want you <u>to help</u> me.	○	○

주격 관계대명사

Look at the boy . He is playing with a ball.
주어 (= the boy)

Look at the boy who is playing with a ball.
선행사　주격 관계대명사

공을 갖고 놀고 있는 소년을 봐.

 관계대명사는 접속사와 대명사 역할을 하는 말로, 관계대명사가 이끄는 절은 선행사를 꾸며요. 이때 절 안에서 주어 역할을 하는 관계대명사를 주격 관계대명사라고 해요.

소유격 관계대명사

I know the boy . His name is Namsu.
소유격 (= the boy's)

I know the boy whose name is Namsu.
선행사　소유격 관계대명사

나는 이름이 남수인 소년을 안다.

Namsu

 소유격 관계대명사는 관계대명사가 이끄는 절 안에서 사람이나 사물의 소유격을 대신해요. 소유격 관계대명사 뒤에는 명사가 와요.

	주격 관계대명사	소유격 관계대명사
선행사가 사람일 때	who, that	whose
선행사가 사물이나 동물일 때	which, that	whose, of which

주격·소유격 관계대명사를 영어 문장 속에서 익혀 보세요.

• The boy **who [that]** is in the kitchen is Joe. 부엌에 있는 소년은 Joe이다.

• A cheetah is an animal **which [that]** runs fast. 치타는 빨리 달리는 동물이다.

• I have a cat **whose [of which]** eyes are blue. 나는 눈동자가 파란색인 고양이를 키운다.

A 선행사에 밑줄 치기

01 We see the girl who is walking her dogs.

02 The boy whose hair is curly is my cousin.

🐱 두 번째 is가 이 문장의 동사예요.

03 I lived in a house whose roof was green.

04 A koala is an animal which lives in Australia.

05 The oranges that are on the table are sweet.

🐱 두 번째 are가 이 문장의 동사예요.

06 I have a brother that likes to take pictures.

B 알맞은 말 고르기

01 I met a woman (who / whose) brother is a firefighter. 🐱 firefighter 소방관

02 We should eat food (who / that) is good for our health.

🐱 be good for ~에 좋다

03 She has a book (whose / that) cover is blue.

04 I know a person (who / which) speaks three languages.

05 Do you have a friend (who / whose) hobby is swimming?

06 Minho gave me sunglasses (who / which) were in his bag.

🐱 sunglasses는 항상 복수로 쓰여요. 선행사가 복수이므로 관계대명사 뒤에는 were를 써요.

목적격 관계대명사

I like **the cake** . We ate **it** yesterday.
목적어 (= the cake)

선행사   목적격 관계대명사
I like **the cake** **which** we ate yesterday.

나는 어제 우리가 먹은 케이크가 마음에 든다.

목적격 관계대명사는 관계대명사가 이끄는 절 안에서 목적어 역할을 해요.
who(m), which, that 등이 있으며, 목적격 관계대명사 뒤에는 '주어+동사 ~'가 와요.

관계대명사의 생략

목적격 관계대명사는 생략할 수 있어요.

I lost **the watch** . My grandfather gave **it** to me.
목적어 (= the watch)

선행사   생략 (목적격 관계대명사 which [that])
I lost **the watch** [ ] my grandfather gave to me.

나는 할아버지께서 내게 주신 시계를 잃어버렸다.

	목적격 관계대명사 (생략 가능)
선행사가 사람일 때	who(m), that
선행사가 사물이나 동물일 때	which, that

🐱 목적격 관계대명사 whom 대신 who를 쓰기도 해요.

목적격 관계대명사와 생략을 영어 문장 속에서 익혀 보세요.

- Lena is my sister whom [that] I like.   Lena는 내가 좋아하는 내 여동생이다.

- This is the book which [that] I bought yesterday.   이것은 내가 어제 산 책이다.

- The movie (which) I watched was good.   내가 본 영화는 좋았다.

개념 원리 확인

○ Answers p. 9

A 자연스러운 말 연결하기

01 She liked the cake • • a. whom I can trust.

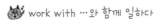 trust 신뢰하다

02 Somi is my best friend • • b. that he was looking for.

look for 찾다

03 The man that I saw at the shop • • c. was salty.

04 He found the bag • • d. which I baked.

05 The people whom I met at the park • • e. were very kind.

06 The soup we had • • f. was Amy's father.

생략된 목적격 관계대명사가
이끄는 절에서 목적어 역할을 하는
선행사를 찾아보세요.

B 목적격 관계대명사가 생략된 곳에 ☑표 하기

01 Where is ☐ the boy ☐ you met at school?

02 Here are some pictures ☐ I took ☐ in Austria.

03 The English teacher ☐ I like ☐ is from Canada.

is가 문장의 동사임에 유의해요.

04 Did she ☐ fix the bike ☐ she broke last week?

05 I will buy the books ☐ my favorite writer ☐ wrote.

06 We remember the man ☐ my father ☐ worked with.

work with …와 함께 일하다

2주 1일 기초 집중 연습

> **밑줄 친 부분을 바르게 고쳐 문장 다시 쓰기**

01 The tomatoes <u>who</u> grew on the farm were fresh.

😺 문장의 주어는 The tomatoes, 동사는 were예요.

02 He has a dog which <u>like</u> to play with a ball.

03 Show me the bag <u>which</u> color is red, please.

04 I couldn't find my umbrella <u>whom</u> I lost at the station.

05 The actor <u>whose</u> we met at the theater is very famous.

😺 theater 극장

 Self Check 나는 관계대명사의 쓰임에 알맞게 문장을 바르게 고쳐 쓸 수 있다. Yes ◯ / No ◯

주어진 말을 배열하여 쓰기

06 내가 들은 이야기들은 흥미로웠다. (the stories, interesting, I, were, that, heard)

07 기린은 목이 긴 동물이다. (a long neck, which, a giraffe, has, an animal, is)

08 Joan은 내가 만나고 싶은 예술가이다. (is, to meet, the artist, Joan, I, want)

09 다리가 긴 거미는 나를 놀라게 했다. (whose, the spider, scared, me, were, legs, long)

🐱 scare 놀라게 하다

10 너는 이 그림을 그린 화가를 아니? (the painter, know, who, do, this picture, you, drew)

 Self Check   나는 관계대명사가 쓰인 문장을 바르게 배열하여 쓸 수 있다. Yes ◯ / No ◯

현재완료 시제는 과거에 시작된 일이 현재까지 영향을 줄 때 써요.

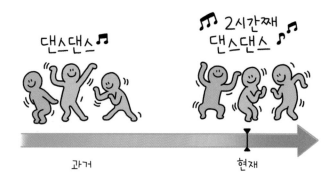

댄스댄스 ♬

♬♪ 2시간째 댄스댄스 ♪♬

과거   현재

긍정문

주로 동사에 -(e)d를 붙여서 만들지만 불규칙하게 변하기도 해요.

have/has + 과거분사

They have danced for two hours. 그들은 두 시간째 춤을 추고 있다.

부정문

have/has + not + 과거분사

They have not danced for an hour. 그들은 한 시간째 춤을 추고 있지 않다.

의문문

Have/Has + 주어 + 과거분사 ~?

- Yes, 주어 + have/has . 또는 No, 주어 + haven't/hasn't .

Have they danced for two hours? 그들은 두 시간째 춤을 추고 있니?

- Yes, they have. 응, 그래.

- No, they haven't. 아니, 그렇지 않아.

현재완료를 영어 문장 속에서 익혀 보세요.

긍정문   It has rained since yesterday. 어제부터 비가 내리고 있다.

부정문   It has not rained since yesterday. 어제부터 비가 내리고 있지 않다.

의문문   Has it rained since yesterday? 어제부터 비가 내리고 있니?

     – Yes, it has. 응, 그래.

개념 원리 확인

○ Answers p. 11

A 동사의 과거분사형 쓰기

01 try _____   **02** play _____

03 walk _____   **04** cut _____

05 become _____   **06** take _____

07 make _____   **08** give _____

09 do _____   **10** leave _____

2주

2일

B 알맞은 말 고르기

01 He has (learn / learned) Chinese since 2018.

02 Daniel (hasn't / haven't) seen the movie.
　　　🐱 hasn't = has not, haven't = have not

03 We (have not been / has been not) to Seattle.
　　　🐱 be동사의 과거분사형은 been이에요.

04 (Has / Have) she (wrote / written) the letter?

05 The women (haven't read / have read not) books for an hour.
　　　🐱 read의 과거분사형은 read예요.

06 The players (have lost / has lose) the games since last month.

07 (Has / Have) you eaten lunch? – No, I (hasn't / haven't).

경험 ~해 본 적이 있다

과거에서부터 지금까지의 경험을 말할 때

I've **never seen** snow before.

나는 전에 눈을 본 적이 없다.

ever(이제까지), never(결코 … 않다),
before(전에), once(한 번) 등과 함께 써요.

계속 ~해 왔다

과거에 시작한 일이 현재까지 지속될 때

It **has snowed** for four days.

4일째 눈이 오고 있다.

since(~부터), for(~ 동안) 등과 함께 써요.

결과 ~해 버렸다

과거의 일이 원인이 되어 결과가 현재에 영향을 줄 때

My fan **has broken**.

내 선풍기가 고장 났다.

지금도 선풍기가 고장나 있는 상태를 의미해요.

완료 (방금) ~ 했다

과거에 시작한 일이 현재 완료된 것을 나타낼 때

I have **just bought** a new fan.

나는 지금 막 새 선풍기를 샀다.

just(방금), already(이미), yet(아직, 벌써) 등과
함께 써요.

현재완료의 용법을 영어 문장 속에서 익혀 보세요.

경험 He **has been** to Sydney before. 그는 전에 시드니에 가본 적이 있다.

계속 We **have run** for an hour. 우리는 한 시간째 달리고 있다.

결과 She **has lost** her passport. 그녀는 여권을 잃어버렸다.

완료 They **have** already **finished** their homework. 그들은 이미 숙제를 끝냈다.

개념 원리 확인

○ Answers p. 11

A 현재완료의 용법에 ☑표 하기

01 The baby has slept for six hours. ☐ 경험 ☐ 계속 ☐ 완료

02 The couple has gone to Barcelona. ☐ 경험 ☐ 완료 ☐ 결과

03 Kristin has already heard the news. ☐ 계속 ☐ 완료 ☐ 결과

04 Mina has given me all her textbooks. ☐ 경험 ☐ 결과 ☐ 계속

05 She hasn't decided the baby's name yet. ☐ 계속 ☐ 완료 ☐ 결과

🐱 현재완료 문장에서 yet(아직)은 주로 문장 끝에 위치해요.

현재완료 시제에 맞게 동사의 형태를 바꾸어 쓰세요.

B 주어진 말을 활용하여 현재완료 문장 완성하기

01 그는 이미 설거지를 했다. (already, wash)

He ⬚ the dishes.

02 너는 내 이모를 만난 적이 있니? (you, ever, meet)

⬚ my aunt?

🐱 ever, never는 have와 과거분사 사이에 써요.

03 Peter는 롤러코스터를 타본 적이 없다. (never, ride) 🐱 ride - rode - ridden

Peter ⬚ a roller coaster.

04 Amy와 나는 5년째 서로 알고 지내고 있다. (know)

Amy and I ⬚ each other for five years.

2주 2일 기초 집중 연습

현재완료 시제를 사용하여
문장을 쓰세요.

> ### 비교하여 문장 쓰기

01

이 달걀은 상했다.

This egg has gone bad.

이 달걀은 상했니?

go bad 상하다

02

나는 2019년부터 이 컴퓨터를 사용해오고 있다.

I have used this computer since 2019.

나는 2019년부터 이 컴퓨터를 사용하지 않고 있다.

03

내 개는 아픈 적이 없다.

My dog has never been sick.

내 개는 앓고 있다.

04

그들은 방금 새 재킷을 팔았다.

They have just sold the new jacket.

그들은 방금 새 재킷을 팔았니?

05

Emma는 학교 과제를 끝냈다.

Emma has finished her school project.

Emma는 학교 과제를 끝내지 못했다.

 Self Check 나는 현재완료 문장을 바르게 쓸 수 있다. Yes ◯ / No ◯

주어진 말을 배열하여 쓰기

06 그는 두 시간째 공부하고 있다. (two hours, has, for, studied, he)

07 Janet은 파리로 떠나버렸다. (Paris, gone, Janet, to, has)

08 나는 작년부터 바이올린을 연주하지 않고 있다. (haven't, I, last year, the violin, since, played)

09 Denny는 방금 역에 도착했다. (arrived, Denny, at, just, has, the station)

10 Liam은 그 영화를 본 적이 없다. (the movie, watched, Liam, never, has)

 Self Check 나는 현재완료 문장을 바르게 배열하여 쓸 수 있다. Yes ○ / No ○

to부정사가 목적어로 올 수 있는 동사는 want, decide 등이 있어요.

He wanted to eat something. 그는 무언가를 먹고 싶었다.
　　　　　　목적어

He decided to eat some snacks. 그는 간식을 좀 먹기로 결심했다.
　　　　　　목적어

위 문장에서 to부정사인 to eat은 '먹는 것을, 먹기를'이라는 의미로 want와 decide의 목적어예요.

to부정사를 목적어로 쓰는 동사를 좀 더 알아볼까요?

agree 동의하다	decide 결심하다	
hope 희망하다	plan 계획하다	+ to부정사
promise 약속하다	want 원하다	

'동사 + to부정사'를 영어 문장 속에서 익혀 보세요.

- He hopes to win the game. 그는 경기에서 이기기를 희망한다.

- We decided to go to the park. 우리는 공원에 가기로 결심했다.

- She planned to visit three places a day. 그녀는 하루에 세 곳을 방문하기로 계획했다.

- They promised to help him. 그들은 그를 돕기로 약속했다.

개념 원리 확인

○ Answers p. 12

A 알맞은 말 골라 형태 바꿔 쓰기

build	buy	become	see	learn

01 He is planning [   ] a new car. 그는 새 차 사는 것을 계획하고 있다.

02 Jina wants [   ] sign language. 지나는 수화를 배우길 원한다.
　　🐱 sign language 수화

03 We expect [   ] the sunrise. 우리는 일출을 보길 기대한다.
　　🐱 expect(~하기를 기대하다)는 to부정사를 목적어로 쓰는 동사예요.

04 Tom hopes [   ] a lawyer in the future. Tom은 미래에 변호사가 되길 희망한다.

05 The company agreed [   ] a new building. 회사는 새 건물을 짓는 것에 동의했다.

B 주어진 말을 활용하여 문장 완성하기

01 나는 마지막 경기에서 승리하기를 희망한다. (hope, win)

I [   ] the final match. 🐱 match 경기

02 Jack은 계획을 바꾸기로 결심했다. (decide, change)

Jack [   ] the plan.

03 아이는 아침을 먹겠다고 약속했다. (promise, eat)

The kid [   ] breakfast.

04 그는 새로운 친구들을 사귀길 원했다. (want, make) 🐱 make friends 친구를 사귀다

He [   ] new friends.

want, ask, tell 등의 동사는 '동사＋목적어＋to부정사' 형태로 쓸 수 있어요.

She **wants** **him** **to wash** the dishes. 그녀는 그가 설거지 하길 원한다.
　　　목적어　　목적격 보어: 목적어의 동작을 나타냄(to부정사)

위 문장에서 'want＋목적어＋to부정사'는 '~가 …하기를 원하다'라는 의미로 to wash는 목적어 him이 하는 동작을 나타내는 목적격 보어예요.

to부정사를 목적격 보어로 쓰는 동사를 좀 더 알아볼까요?

want		~가 …하기를 원하다
ask		~에게 …해 달라고 요청하다
advise	＋ 목적어 ＋ to부정사	~에게 …하라고 충고하다
allow		~가 …하도록 허락하다
expect		~가 …하리라고 예상하다
tell		~에게 …하라고 말하다

'동사＋목적어＋to부정사'를 영어 문장 속에서 익혀 보세요.

- I **asked** him **to speak** loudly. 나는 그에게 크게 말해달라고 요청했다.

- Logan **allowed** the kid **to open** the box. Logan은 그 아이가 상자를 열도록 허락했다.

- Teachers **tell** students **to read** books. 교사들은 학생들에게 책을 읽으라고 말한다.

- She **wants** you **to make** dinner. 그녀는 네가 저녁을 만들기를 원한다.

개념 원리 확인

○ Answers p. 12

A 주어진 말을 이용하여 문장 완성하기

01 I advised him [   ] warm clothes. (wear)

02 He asked his brother [   ] the garden. (clean)

03 Ms. Hong told us [   ] new places. (explore) explore 탐험하다

04 We don't allow people [   ] in the building. (smoke)

05 The teacher wanted the students [   ] honest. (be)

2주
3일

B 주어진 말을 배열하여 쓰기

'동사＋목적어＋to부정사'
형태로 쓰세요.

01 우리는 그에게 그 문제를 해결하라고 충고했다. (advised, to fix, him)

We [   ] the problem.

02 David는 우리에게 과제를 끝내 달라고 요청했다. (asked, to finish, us)

David [   ] the project.

03 너는 우리가 그 상황을 설명하기를 원하니? (to explain, us, want) situation 상황

Do you [   ] the situation?

04 그는 그의 사촌에게 이메일을 보내라고 말했다. (his cousin, to send, told)

He [   ] an e-mail.

05 부모님은 내가 최선을 다하리라고 예상하신다. (expect, to do, me) do one's best 최선을 다하다

My parents [   ] my best.

2주 3일 기초 집중 연습

> **밑줄 친 부분을 바르게 고쳐 문장 다시 쓰기**

01   He doesn't allow his son <u>go</u> out at night.

02   My parents and I agreed <u>raise</u> the puppy.   raise (동물을) 기르다, puppy 강아지

03   She promised <u>return</u> the book.

04   Does Eric ask you <u>bring</u> snacks?

05   They planned <u>travel</u> to Europe.

 Self Check 나는 '동사+to부정사'와 '동사+목적어+to부정사'를 바르게 쓸 수 있다.   Yes ◯ / No ◯

주어진 말을 배열하여 쓰기

06

그들을 우리에게 사전을 사용하라고 말했다. (told, use, they, to, the dictionary, us)

07

아이들은 새로운 것들을 배우길 원한다. (learn, want, children, things, to, new)

08

Jay는 내게 창문을 열어 달라고 요청했다. (the window, Jay, open, to, me, asked)

09

Paul은 그녀에게 따뜻한 물을 마시라고 충고했다. (drink, her, warm water, Paul, advised, to)

10

우리는 내년에 뉴욕을 방문하길 기대한다. (visit, next year, to, we, expect, New York)

Self Check 나는 '동사+to부정사'와 '동사+목적어+to부정사'를 바르게 배열하여 쓸 수 있다. Yes ○ / No ○

be동사, become, get	＋ 명사/형용사	～이다, ～가 되다
감각동사 (look, sound, feel, taste, smell)	＋ 형용사	～하게 보이다/들리다 ～한 느낌이 나다/맛이 나다/냄새가 나다

'동사＋명사/형용사'를 영어 문장 속에서 익혀 보세요.

- My cousin is an artist. 내 사촌은 예술가이다.
- The car sounds strange. 그 차는 이상한 소리가 난다.

- Everyone gets old. 모든 사람은 나이가 든다.
- The coffee smells good. 커피는 좋은 냄새가 난다.

개념 원리 확인

○ Answers p. 13

A 주격 보어에 밑줄 치기

01 When did Dr. Jones become a dentist?

02 This lemon pie tastes sweet and sour. 🐱 sour (맛이) 신

03 The socks smelled terrible. 🐱 terrible 끔찍한

04 My sister got angry with me. 🐱 angry with ~에게 화가 나다

05 The singer's new song sounded great.

06 The most popular sport in Canada is ice hockey.

B 알맞은 말 고르기

> be동사, become, get 뒤에는 명사나 형용사가, 감각동사 뒤에는 형용사가 와요.

01 Do you often feel (sad / sadly)?

02 The pasta tasted (wonderful / wonderfully).

03 He looks (well / good) today.

04 The students were (quiet / quietly) during the class.

05 She is a (friend / friendly) person.
　　　　🐱 friend(친구)는 명사, friendly(다정한)는 형용사예요.

06 The weather becomes (warm / warmly).

2주 4일 | 동사+목적어+형용사

keep, turn 등의 동사는 '동사+목적어+형용사' 형태로 쓸 수 있어요.

새로 산 코트구나. 정말 따뜻해 보여.

The coat keeps me warm. 코트가 날 따뜻하게 해 줘.

엥? 고양이 얼굴이 왜 이렇게 빨갛지?

It turns my face red.

The coat **keeps** **me** **warm**. 코트가 나를 따뜻하게 해 준다.

목적어   목적격 보어: 목적어의 상태나 성질을 설명(형용사)

'keep+목적어+형용사'는 '~를 …한 상태로 유지하다'라는 의미로, 형용사 warm은 목적어 me의 상태나 성질을 설명하는 목적격 보어예요.

형용사를 목적격 보어로 쓰는 동사를 좀 더 알아볼까요?

keep		~를 …한 상태로 유지하다
find		~가 …하다는 것을 알다
leave	+ 목적어 + 형용사	~를 …한 상태로 두다
make		~를 …한 상태가 되게 만들다
turn		~를 …한 상태로 되게 하다

'동사+목적어+형용사'를 영어 문장 속에서 익혀 보세요.

- The noise **kept** me **awake**. 소음이 나를 계속 깨어있게 했다.

- We **found** the movie **boring**. 우리는 그 영화가 지루하다는 것을 알았다.

- I can **make** the shirt **clean**. 나는 그 셔츠를 깨끗하게 만들 수 있다.

- Fall **turned** the leaves **red**. 가을은 나뭇잎들을 붉게 물들였다.

개념 원리 확인

○ Answers p. 13

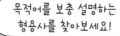

목적어를 보충 설명하는
형용사를 찾아보세요!

A 목적격 보어에 밑줄 치기

01 Don't make your dad upset. upset 마음이 상한

02 Exercise keeps our body healthy. healthy 건강한

03 We found the math question difficult.

04 The new song made the band famous.

05 The winds will turn the weather cold.

06 Kevin and his friends left the room clean.

2
주

4일

B 알맞은 말 골라 쓰기

| made | brown | heavy | empty | open |

01 You should keep the windows [   ]. 너는 창문을 열어 두어야 한다.

02 Ms. White found the box [   ]. White 씨는 상자가 무겁다는 것을 알았다.

03 The invention [   ] our lives easier. 그 발명은 우리 삶을 더 편리하게 만들었다.
lives는 life(삶)의 복수형이에요.

04 They left the refrigerator [   ]. 그들은 냉장고를 빈 상태로 두었다.

05 It turned my hair [   ]. 그것은 내 머리카락을 갈색이 되게 했다.

> **밑줄 친 부분을 바르게 고쳐 문장 다시 쓰기**

01 The curtains made the room <u>warmly</u>.

02 The children found the test <u>easily</u>.

03 The teacher didn't feel <u>thirst</u> during the class.

04 Swimming keeps my brother <u>health</u>.

05 The soccer game got <u>popularly</u>.

 Self Check 나는 형용사가 보어로 쓰인 문장을 바르게 쓸 수 있다. Yes ◯ / No ◯

> ### 주어진 말을 배열하여 쓰기

06

그 소년들은 야구 선수들이다. (players, are, baseball, the boys)

07

하늘이 갑자기 어두워졌다. (suddenly, became, dark, the sky) suddenly 갑자기

08

장미들은 무척 달콤한 향이 난다. (very, sweet, smell, the roses)

09

내 여동생은 문을 열어 두지 않았다. (didn't, open, my sister, the door, leave)

10

안전벨트는 너를 안전하게 지켜줄 것이다. (you, the seat belt, will, safe, keep) seat belt 안전벨트

Self Check 나는 명사나 형용사가 보어로 쓰인 문장을 바르게 배열하여 쓸 수 있다. Yes ◯ / No ◯

name, call 등의 동사는 '동사+목적어+명사' 형태로 쓸 수 있어요.

He **named** **his goldfish** **Jelly** . 그는 그의 금붕어를 Jelly라고 이름 지었다.
목적어　　　　　 목적격 보어: 목적어를 보충 설명(명사)

We **call** **him** **Fish Lover** . 우리는 그를 물고기 애호가라고 부른다.

명사를 목적격 보어로 쓰는 동사를
좀 더 알아볼까요?

name call choose make	+ 목적어 + 명사	~를 …라고 이름 짓다 ~를 …라고 부르다 ~를 …로 선택하다 ~를 …으로 만들다

'동사＋목적어＋명사'를 영어 문장 속에서 익혀 보세요.

- **Don't call me a liar.** 나를 거짓말쟁이라고 부르지 마.

- **They chose Emily the leader.** 그들은 Emily를 리더로 선출했다.

- **My family made me a champion.** 내 가족이 나를 챔피언으로 만들었다.

- **We named the dog Molly.** 우리는 그 개를 Molly라고 이름 지었다.

개념 원리 확인

○ Answers p. 14

A 알맞은 말 골라 쓰기

call	chose	make	named

01 We [　　　　] Steve the class president. 우리는 Steve를 학급 회장으로 선출했다.

🐱 the class president 학급 회장

02 Let's [　　　　] our town a better place. 우리 마을을 더 좋은 곳으로 만들자.

03 We [　　　　] our daughter Bella. 우리는 딸을 Bella라고 이름 지었다.

04 They [　　　　] New York City the Big Apple. 그들은 뉴욕시를 빅애플이라고 부른다.

B 주어진 말을 배열하여 쓰기

01 어떤 사람들은 그를 나무 의사라고 부른다. (the tree doctor, him, call)

Some people [　　　　　　　　　　].

02 그 영화는 그를 스타로 만들었다. (a star, made, him)

The movie [　　　　　　　　　　].

03 우리는 우리 팀을 드림즈라고 이름 지었다. (our team, named, the Dreams)

We [　　　　　　　　　　].

04 그들은 공룡을 팀 마스코트로 선택했다. (their team mascot, chose, a dinosaur)

They [　　　　　　　　　　].

2주 5일 | 사역동사 + 목적어 + 동사원형

(make, have, let과 같이 '~가 …하게 하다/허락하다'라는 의미를
나타내는 동사를 사역동사라고 해요.)

Please **let** **me** **go** to the concert. 제발 제가 콘서트에 가게 해 주세요.
　　　　목적어　　목적격 보어: 목적어의 동작을 나타냄(동사원형)

He **had** **his daughter** **go** to the concert. 그는 딸이 콘서트에 가게 했다.
　　　목적어　　　　　　목적격 보어

(동사 go가 목적어 me와 his daughter의 동작을 설명하는 목적격 보어예요.
사역동사 make, have, let은 목적격 보어로 동사원형을 써요.)

make have let	+ 목적어 + 동사원형	~가 …하게 하다 ~가 …하게 하다 ~가 …하게 허락하다

'사역동사 + 목적어 + 동사원형'을 영어 문장 속에서 익혀 보세요.

- Dad **made** me **set** the table. 아빠는 내가 상을 차리게 하셨다.

- The teacher **had** us **pick** up the trash. 선생님은 우리가 쓰레기를 줍게 하셨다.

- We didn't **let** our dog **go** out. 우리는 우리의 개가 밖에 나가게 하지 않았다.

개념 원리 확인

A 주어진 말을 배열하여 쓰기

01 Lucy [   ] her computer. (use, let, him)

🐱 let은 주로 허락할 때 써요.

02 Sad movies [   ]. (cry, make, the boys)

03 Mom [   ] the plants. (me, had, water) 🐱 water 물을 주다

04 The teacher [   ] the art room. (us, clean, made)

05 David [   ] in the pool. (let, swim, the kids)

06 I [   ] to the dentist. (had, go, my brother)

B 밑줄 친 부분 바르게 고쳐 쓰기

01 She let <u>he</u> have pizza. [   ]

그녀는 그가 피자를 먹게 허락했다.

02 Alice let her sister <u>rides</u> her bike. [   ]

Alice는 언니가 그녀의 자전거를 타게 허락했다.

03 You made me <u>joined</u> the group. [   ]

너는 나를 모임에 참여하게 했다.

04 I didn't have Collins <u>moves</u> the boxes. [   ]

나는 Collins가 그 상자들을 옮기게 하지 않았다.

주 5일 기초 집중 연습

> 목적격 보어로 명사를 쓰는 동사와 동사원형을 쓰는 동사를 확인하세요.

밑줄 친 부분을 바르게 고쳐 문장 다시 쓰기

01 The teacher made us to study.

02 We call his a hero.

03 My parents let bring me friends home.

04 The director made she a famous actress.

05 The coach had the players sat on the grass.

Self Check 나는 명사나 동사원형이 목적격 보어로 쓰인 문장을 바르게 쓸 수 있다. Yes ◯ / No ◯

주어진 말을 배열하여 쓰기

06 사람들은 바흐를 음악의 아버지라고 부른다. (the father of music, call, people, Bach)

07 언니는 내가 개를 산책시키게 했다. (had, my sister, me, the dog, walk)

08 그들은 새로 태어난 아기를 Ryan이라고 이름 지었다. (Ryan, they, their new baby, named)

09 제가 친구들과 나가게 해주세요. (my friends, go out, let, with, me)

. please.

10 구성원들은 Ted를 리더로 선출했다. (the leader, the members, Ted, chose)

Self Check 나는 명사나 동사원형이 목적격 보어로 쓰인 문장을 바르게 배열하여 쓸 수 있다. Yes ◯ / No ◯

▶ 보라색 글자에 유의하며, 만화를 읽어 봅시다.

❶ I have a cat whose name is Nabi.

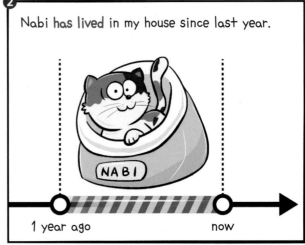

❷ Nabi has lived in my house since last year.

NABI

1 year ago   now

❸ Nabi looks very cute.

meow meow

❹ I want Nabi to speak human language.

Will you marry me?

해석

❶ 나는 나비라는 이름의 고양이가 있다.

❷ 나비는 작년부터 우리 집에서 살고 있다.

❸ 나비는 아주 귀여워 보인다.

❹ 나는 나비가 인간의 언어로 말하기를 원한다.

현재완료는 'have/has+과거분사' 형태로, 과거에 시작된 일이 현재까지 영향을 줄 때 써요. 'want+목적어+to부정사'는 '~가 …하기를 원한다'라는 의미예요.

▶ 보라색 글자에 유의하며, 만화를 읽어 봅시다.

해석

❶ 민준이는 나를 Max라고 부른다.

❷ 그는 내가 공을 잡게 시킨다.

❸ 그는 나를 너무 오래 기다리게 한다.

❹ 나는 자유롭고 싶다. 제발 나를 혼자 있게 내버려 둬!

5형식은 '주어＋동사＋목적어＋
목적격 보어'로 이루어진 문장으로,
목적격 보어에는 명사, 형용사,
to부정사, 동사원형 등을 쓸 수 있어요.

A 그림을 보고, 대화를 완성해 봅시다.

1   A: Look at these dirty dishes [ ] you used.

네가 쓴 이 지저분한 접시들을 봐.

B: I plan [ ] [ ] them tomorrow.

나는 그것들을 내일 씻을 계획이야.

2   A: I haven't [ ] the coat before.

나는 전에 그 코트를 본 적이 없어.

B: This is new. I asked Mom [ ] [ ] it for me.

이것은 새 것이야. 나는 엄마에게 그것을 사달라고 했어.

3   A: Dad, I want [ ] [ ] to the concert.

아빠, 저는 콘서트에 가고 싶어요.

B: Okay. I'll let you [ ].

좋아. 네가 가도록 하락하마.

B 크로스워드 퍼즐을 완성해 봅시다.

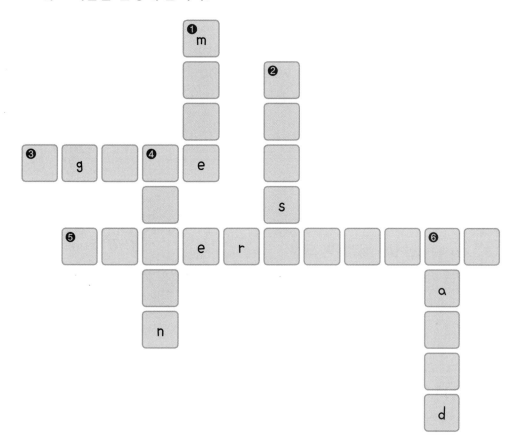

세로

1 사역동사에는 have, let, [　　　　] 등이 있다.

2 I have a friend (who / whose) eyes are blue. 나는 눈동자가 파란 친구가 있다.

4 They have already [　　　　] dinner. 그들은 이미 저녁을 먹었다.

6 I [　　　　] my dog Coco. 나는 내 개를 Coco라고 이름 지었다.

가로

3 [　　　　]은(는) '동의하다'라는 뜻으로, 목적어로 to부정사를 쓰는 동사이다.

5 He found the book (interesting / interestingly). 그는 책이 흥미로운 것을 알았다.

C 번호를 따라가며 문제를 풀어 봅시다.

START

1
The watch (who / which) is on the desk is mine.

2
주어진 말을 배열하여 쓰기
나는 머리가 긴 여동생이 한 명 있다.
(have, whose, is, hair, long, I, a sister)
_____

4
I remember the girl (which / whom) I met at the museum.

3
I _____ _____ Spanish since last month.
나는 지난달부터 스페인어를 배우고 있다.

5
She _____ _____ _____ her homework.
그녀는 지금 막 숙제를 끝냈다.

6
주어진 말을 활용하여 문장 완성하기
They asked me _____ _____ for 10 minutes. (wait)

7

I have read the book for two hours.

부정문으로

_____

8

- The apple tastes (sweet / sweetly).
- His voice sounds (good / well).

10

주어진 말을 배열하여 쓰기

사람들은 그를 Mr. Brain이라고 부른다.

(Mr. Brain, call, people, him)

➡ _____

9

We advised him

_____ _____ slowly.

우리는 그에게 천천히 말하라고 조언했다.

11

어색한 부분을 바르게 고쳐 문장 다시 쓰기

The teacher made us kept a diary.

선생님은 우리가 일기를 쓰게 하셨다.

➡ _____

12

우리말로 쓰기

I found the question easy.

➡ _____

FINISH

누구나 100점 테스트

[01-02] 올바른 문장을 골라 봅시다.

01

a. I met a woman who brother is a firefighter.

b. A koala is an animal which lives in Australia.

02

a. He looks well today.

b. The weather becomes warm.

[03-05] 밑줄 친 부분을 바르게 고쳐 문장을 다시 써 봅시다.

03

Daniel haven't seen the movie.

➡

04

We found the math question difficultly.

➡

05

Lucy let him washes the dishes.

➡

[06-07] 주어진 말을 바르게 배열하여 써 봅시다.

06

우리가 먹은 수프는 짰다. (was, the soup, that, had, we, salty)

07

우리는 딸을 Bella라고 이름 지었다. (named, Bella, our daughter, we)

[08-10] 괄호 안에서 알맞은 말을 골라 문장을 다시 써 봅시다.

08

We see the girl (who / which) is walking her dogs.

➲

09

He expects (see / to see) snow.

➲

10

Teacher made us (clean / to clean) the art room.

➲

 알아두면 좋은 용어 현재분사, 과거분사, 능동태, 수동태

동사원형+-ing　　laughing　　girl
현재분사　　　　현재분사　⌐→명사
　　　　　　　웃고 있는　　소녀

현재분사는 동사원형에 -ing가 붙은 형태로 형용사처럼 명사를 수식해요.
진행이나 능동의 의미를 지니고 있으며 진행형을 만들기도 해요.

동사원형+-ed　　shocked　　boy
과거분사　　　　과거분사　⌐→명사
　　　　　　　충격을 받은　소녀

과거분사는 동사원형에 -ed가 붙은 형태로
형용사처럼 명사를 수식하고 완료시제나 수동태에 쓰여요.

능동태　**He built the house .**
　　　　주어　동사
　　　　그는　지었다

수동태　**The house was built by him .**
　　　　주어　　be동사+과거분사
　　　　그 집은　지어졌다

주어가 어떤 동작을 스스로 하는 것을 나타낼 때는 능동태, 행위의 대상 또는
행위 자체를 강조할 때는 수동태를 써요. 수동태는 'be동사+과거분사'로 표현해요.

since	if	before	after
~ 때문에/~이후로	만약 ~한다면	~하기 전에	~한 후에

접속사가 이끄는 절을 또 다른 절에 연결하는 접속사를 종속접속사라고 해요.
since, if, before, after 등이 종속접속사예요.

If I have time,   **I will go to Paris** .

종속절	주절
만약 나에게 시간이 있다면,	나는 파리에 갈 것이다.

종속절은 '종속접속사＋주어＋동사'로 이루어진 부분이고,
주절은 문장의 주어와 동사가 있는 부분이에요.

3주

1일	● 수동태	● 수동태의 부정문과 의문문
2일	● 현재분사와 과거분사	● 감정을 나타내는 분사
3일	● 동명사 II	● 동명사와 현재분사
4일	● 수 일치	● 시제 일치
5일	● 접속사 since, if	● 접속사 before, after

3 주

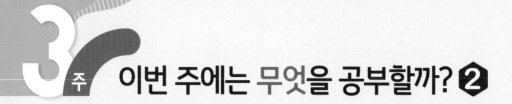
능동태와 수동태

능동태: 주어가 어떤 동작을 스스로 하는 것을 나타낼 때 사용하는 동사의 형태이다.
수동태: 행위의 대상 또는 행위 자체를 강조할 때 사용하는 동사의 형태이다.

Namjun painted this picture.
남준이는 이 그림을 그렸다. (능동태)

This picture was painted by Namjun.
이 그림은 남준이에 의해 그려졌다. (수동태)

o Answers p. 17

❷-1 능동태 문장과 수동태 문장을 구별해 봅시다.

		능동태 문장	수동태 문장
01	The photo was taken by an artist.	☐	☐
02	They bought snacks and drinks.	☐	☐
03	The card was written by my cousin.	☐	☐
04	Science is my favorite subject.	☐	☐
05	A party is thrown by students.	☐	☐
06	The leaves turned red and yellow.	☐	☐

현재분사와 과거분사

현재분사: '동사원형+-ing' 형태로 형용사처럼 명사를 수식하거나 진행형 시제에 쓰이는 말이다.
과거분사: '동사원형+-ed' 형태로 형용사처럼 명사를 수식하거나 완료 시제와 수동태에 쓰이는 말이다.

boiling potatoes
삶아지고 있는 감자

boiled potatoes
삶아진 감자

○ Answers p. 17

②-2 동사의 현재분사와 과거분사를 써 봅시다.

	현재분사	과거분사
01 sleep		
02 break		
03 take		
04 write		
05 surprise		
06 amaze		

3주 1일 | 수동태

 능동태가 '주어가 어떤 일을 하다'를 나타낸다면, 수동태는 '주어가 무언가를 당하다'라는 의미로 행동의 대상 또는 행동 자체를 강조해요.

능동태 ~가 …하다
| Zombies | chased | the boy. | 좀비들이 소년을 뒤쫓았다.
| 주어 | 동사 | 목적어 |

수동태 ~가 되다, 당하다
| The boy | was chased | by zombies. | 소년은 좀비들에 의해 쫓김을 당했다.
| 주어 | be동사+과거분사 | by 행위자 |

능동태를 수동태로 만들기

1. 주어와 목적어 자리 바꾸기
2. 동사를 'be동사+과거분사'로 바꾸기
3. 주어를 목적격으로 바꾸고 그 앞에 전치사 by를 붙이기

	be동사+과거분사
현재시제	am/are/is+과거분사
과거시제	was/were+과거분사
미래시제	will+be+과거분사

be동사의 시제는 능동태의 동사 시제에 맞춰요.

수동태에 대해 읽고, 영어 문장 속에서 익혀 보세요.

수동태의 형태: be동사+과거분사(+by 행위자)

- **The light is turned off by Tom.**   그 전등은 Tom에 의해 꺼진다.

- **The cats were raised by the girl.**   그 고양이들은 소녀에 의해 길러졌다.

- **The movie will be made by a famous director.**   그 영화는 유명한 감독에 의해 만들어질 것이다.

개념 원리 확인

○ Answers p. 17

A 개념 익히기

The man played the music. 이 문장을 수동태로 바꿔보자.

먼저 목적어인 **01** [   ] 을(를) 문장의 주어로 써.

동사는 'be+과거분사' 형태인 **02** [   ] (으)로 바꾸고
문장 끝에 by+ **03** [   ] 을(를) 쓰면 돼.

The music **04** [   ]. 수동태 문장 완성!

B 수동태 문장 완성하기

문장의 동사를
'be동사 + 과거분사' 형태로
바꾸어 보세요.

01 John sets the dinner table. 🐱 set the dinner table 저녁상을 차리다
⇨ The dinner table [   ] by John.

02 She fixed the bike.
⇨ The bike [   ] by her.
🐱 'by 행위자'를 쓸 때 능동태의 주어를 목적격으로 바꿔 행위자 자리에 써요.

03 I clean the rooms every weekend.
⇨ The rooms [   ] by me every weekend.

04 My classmates will visit me.
⇨ I [   ] by my classmates.

 수동태의 부정문은 be동사와 과거분사 사이에 not을 써요.

부정문 주어 + **be동사** + **not** + **과거분사** + by 행위자.

He was not eaten by zombies. 그는 좀비에게 잡아먹히지 않았다.

 수동태의 의문문은 be동사와 주어의 순서를 바꿔서 be동사로 문장을 시작해요.

의문문 **Be동사** + 주어 + **과거분사** ~ by 행위자?

Was he eaten by zombies? 그는 좀비에게 잡아먹혔니?

수동태 부정문	be동사+not+과거분사
수동태 의문문	Be동사+주어+과거분사 ~ by 행위자?

수동태의 부정문과 의문문을 영어 문장 속에서 익혀 보세요.

- **Breakfast is not cooked by my brother.** 아침은 내 남동생에 의해 요리되지 않는다.

- **The math problem was not solved by her.** 그 수학 문제는 그녀에 의해 풀리지 않았다.

- **Are the cookies baked by Mr. Jones?** 쿠키가 Jones 씨에 의해 구워지니?

- **Was the letter sent by the customer?** 그 편지가 고객에 의해 보내졌니?

개념 원리 확인

○ Answers **p. 17**

A 밑줄 친 부분 바르게 고쳐 쓰기

01 Was your pencil <u>find</u> by Leon?

02 This photo <u>not was taken</u> by him.

03 Were the chairs <u>be bought</u> by your father?

04 <u>Was</u> the apple trees cut by Ms. Cooper?

05 The house <u>was not painting</u> by Nick.

06 The baby kangaroo <u>not was carried</u> by its mother.

🐱 its = the baby kangaroo's

3주
1일

B 주어진 말을 배열하여 쓰기

01 그 결말은 그 작가에 의해 쓰여지지 않았다. (written, not, was)
⇨ The ending ⬚ by the writer.

02 그 기계는 Smith 씨에 의해 만들어졌니? (the machine, made, was)
⇨ ⬚ by Ms. Smith?

03 그 컴퓨터들은 학생들에 의해 사용되지 않는다. (used, are, not)
⇨ The computers ⬚ by the students.

04 식물들은 Jimmy에 의해 물이 주어지니? (watered, are, the plants) 🐱 water 물을 주다
⇨ ⬚ by Jimmy?

3주 1일 기초 집중 연습

01 Chris broke the glass.

⇨ The glass _____ .

02 The women didn't see the car accident. 🐱 accident 사고

⇨ The car accident _____ .

03 Terry will design the house.

⇨ The house _____ .

04 Did Pablo Picasso draw this painting?

⇨ Was _____ ?

05 My brother washes the clothes on weekends. 🐱 on weekends 주말마다

⇨ The clothes _____ on weekends.

 Self Check 나는 능동태 문장을 수동태 문장으로 바르게 바꿔 쓸 수 있다. Yes ◯ / No ◯

조건에 맞게 문장 바꿔 쓰기

06

수동태
부정문으로

Many bears were killed by hunters.

07

수동태
의문문으로

Those flowers are planted by the young man.

08

수동태
부정문으로

This old map was found by the students. find(찾다) – found – found

09

수동태
의문문으로

The restaurant was visited by many people.

10

수동태
부정문으로

The country is ruled by the king. rule 통치하다

 Self Check 나는 수동태 문장을 바르게 쓸 수 있다. Yes ○ / No ○

 분사에는 현재분사와 과거분사가 있으며, 형용사처럼 명사를 수식하는 역할을 해요.

현재분사 동사원형 **+ -ing**
능동(~하는), 진행(~하고 있는)

과거분사 동사원형 **+ -ed** / 불규칙 과거분사
수동(~되는, 당하는), 완료(~된)

boiling potatoes 삶아지고 있는 감자들

boiled potatoes 삶아진 감자들

보통 현재분사와 과거분사는 명사를 앞에서 수식해요.
분사가 목적어나 부사구와 함께 쓰일 때는 명사를 뒤에서 수식해요.

Look at those falling <u>leaves</u>. 저 떨어지는 잎들을 봐.
명사를 앞에서 수식

I know <u>the boy</u> eating ice cream. 나는 아이스크림을 먹고 있는 소년을 안다.
명사를 뒤에서 수식

He is reading <u>the book</u> written in English. 그는 영어로 쓰인 책을 읽고 있다.
명사를 뒤에서 수식

	형태	의미
현재분사	동사원형+-ing	~하는, ~하고 있는 (능동, 진행)
과거분사	동사원형+-ed	~되는, 당하는, ~된 (수동, 완료)

현재분사와 과거분사를 영어 문장 속에서 익혀 보세요.

• The **boiling** potatoes are in the pot. 삶아지고 있는 감자가 냄비 안에 있다.

• The **boiled** potatoes are very hot. 삶아진 감자는 매우 뜨겁다.

개념 원리 확인

○ Answers p. 18

A 알맞은 말 고르기

01 Don't wake up the (sleeping / slept) baby.

02 We saw the dog (running / run) in the park.

03 Taylor couldn't eat the (baking / baked) corn.

04 I chose the photo (taking / taken) in the garden.

05 Do you know the new student (wearing / worn) a hat?

worn은 wear(입다)의 과거분사예요.

06 Be careful of the (breaking / broken) window.

B 주어진 말을 현재분사 또는 과거분사로 바꿔 쓰기

01 Who is that man [   ] on the stage? (sing)

02 The box [   ] with books is on the desk. (fill) fill 채우다, 채워지다

03 We saw many people [   ] at the bus stop. (wait)

04 They visited the library [   ] last month. (build)

05 I found the picture [   ] by my grandfather. (paint)

06 The girl [   ] to the police officer is my sister. (talk)

감정을 나타내는 분사에 대해 읽고, 영어 문장 속에서 익혀 보세요.

1 감정을 나타내는 현재분사: 동사원형+**-ing** (~을 느끼게 하는)

2 감정을 나타내는 과거분사: 동사원형+**-ed** (~을 느끼는)

- His painting was **amazing**. 그의 그림은 놀라웠다.

- She was **shocked** by the painting. 그녀는 그 그림에 충격을 받았다.

개념 원리 확인

o Answers p.19

A 알맞은 말 고르기

01 The students felt very (tiring / tired).

02 She read a (moving / moved) story.
🐱 moving 감동적인, moved 감동한

03 My brother is an (interesting / interested) boy.

04 The members were (scaring / scared) by the loud noise.
🐱 scaring 위협적인, scared 겁먹은

05 Was he (pleasing / pleased) with the result?
🐱 pleasing 만족을 주는, pleased 만족해하는

06 We don't like the (boring / bored) movie.

B 밑줄 친 부분을 분사로 바꿔 문장 다시 쓰기

01 You have an <u>amaze</u> skill.
🐱 amaze 놀라게 하다, amazing 놀라운, amazed 놀란

02 Why was your friend <u>shock</u>?

03 They were <u>please</u> with my idea.

04 The concert was <u>interest</u>.

05 Louis was <u>surprise</u> by the news.

06 The game was very <u>excite</u>.

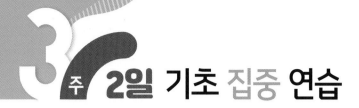

현재분사는 능동·진행의 의미를, 과거분사는 수동·완료의 의미를 나타내요.

> **비교하며 문장 쓰기**

01

우리는 타고 있는 건물을 발견했다.

We found the burning building.

우리는 타버린 건물을 발견했다.

02

그녀는 그 뉴스에 충격을 받았다.

She was shocked by the news.

그 뉴스는 충격적이었다.

03

초록색으로 칠해진 벽을 보아라.

Look at the wall painted green.

벽을 칠하고 있는 소녀를 보아라.

04

나는 축구 경기에 흥미진진해졌다.

I was excited about the soccer game.

축구 경기는 흥미진진했다.

05

그 남자는 그 음악에 감동을 받았다.

The man was touched by the music.

그 음악은 감동적이었다.

touch 감동시키다

Self Check 나는 현재분사와 과거분사를 바르게 구분하여 쓸 수 있다. Yes ○ / No ○

주어진 말을 배열하여 쓰기

06 학생들은 지루해 보였다. (looked, bored, the students)

07 벤치에 앉아있는 소년은 내 사촌이다. (on the bench, the boy, is, my cousin, sitting)

08 그 소녀가 자고 있는 고양이를 깨웠다. (woke up, the girl, sleeping, cat, the)

09 어제 배달된 그 꽃들은 좋은 냄새가 난다. (smell, delivered, yesterday, good, the flowers)

10 네 오빠는 중고차를 샀니? (buy, car, your brother, used, did, a)

 나는 현재분사와 과거분사를 사용하여 문장을 바르게 배열하여 쓸 수 있다. Yes ○ / No ○

동명사는 '동사원형+-ing'의 형태로 '~하는 것, ~하기'라는 의미이며, 문장에서 명사 역할을 하여 주어, 보어, 목적어로 쓰여요.

주어

Getting up early is a good habit.

일찍 일어나는 것은 좋은 습관이다.

보어

My dream is going to the moon.

내 꿈은 달에 가는 것이다.

동사의 목적어

He enjoys running alone.

그는 혼자 달리는 것을 즐긴다.

전치사의 목적어

She's good at reading maps.

그녀는 지도 읽는 것을 잘한다.

동명사의 부정은 동명사 앞에 not을 써요.

Not eating at night is good for your health. 밤에 먹지 않는 것이 네 건강에 좋다.

동명사를 영어 문장 속에서 익혀 보세요.

주어 역할	Riding a bike is fun.	자전거를 타는 것은 재미있다.
보어 역할	His job is teaching children.	그의 직업은 아이들을 가르치는 것이다.
동사의 목적어 역할	She likes going hiking.	그녀는 하이킹하는 것을 좋아한다.
전치사의 목적어 역할	I'm not afraid of flying high.	나는 높이 나는 것을 두려워하지 않는다.

개념 원리 확인

○ Answers p. 20

A 밑줄 친 동명사의 역할 쓰기

01 <u>Eating</u> vegetables is good for you.

02 I felt sorry about not <u>doing</u> my homework.
😺 동명사의 부정은 동명사 앞에 not을 써요.

03 <u>Taking</u> pictures is not easy.

04 They've just finished <u>eating</u> dinner.

05 The kid opened the box without <u>saying</u> a word.

06 His job is <u>taking</u> care of animals at the zoo.
😺 take care of ~을 돌보다

B 주어진 말을 동명사로 바꿔 쓰기

동명사는 문장에서
주어, 보어, 목적어로 쓰여요.

01 그는 공포 영화 보는 것을 즐긴다. (watch)

He enjoys [   ] horror movies.

02 Linda는 옷을 만드는 데 관심이 있었다. (make) 😺 be interested in ~에 관심이 있다.

Linda was interested in [   ] clothes.

03 아침을 먹지 않는 것은 건강에 나쁘다. (eat) 😺 동명사가 주어일 때 동사는 단수형으로 써요.

Not [   ] breakfast is bad for your health.

04 나의 목표는 경기를 이기는 것이었다. (win)

My goal was [   ] the race.

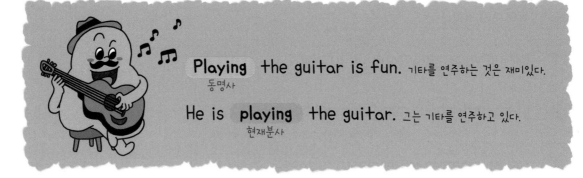

Playing the guitar is fun. 기타를 연주하는 것은 재미있다.
동명사

He is playing the guitar. 그는 기타를 연주하고 있다.
현재분사

동사원형에 -ing가 붙은 playing인데, 첫 번째 문장의 playing은 동명사, 두 번째 playing은 현재분사네. 어떻게 구별해?

동명사는 '하는 것, ~하기'라는 뜻으로 문장에서 명사 역할을 하고, 현재분사는 '~하는, ~하고 있는'의 뜻으로 형용사 역할을 하거나 진행형에 쓰여.

playing
- 동명사 연주하는 것
- 현재분사 연주하고 있는

	동명사	현재분사
형태	동사원형+-ing	동사원형+-ing
의미	~하는 것, ~하기	~하는, ~하고 있는
역할	명사 역할, 용도나 목적을 의미할 때 쓰임	형용사 역할, 진행형에 쓰임
예시	a sleeping bag 침낭 a walking stick 지팡이	a sleeping baby 자고 있는 아기 a walking man 걷고 있는 남자

동명사와 현재분사를 영어 문장 속에서 익혀 보세요.

동명사 Sleeping well is important. 잘 자는 것은 중요하다.

We need a sleeping bag. 우리는 침낭이 필요하다.

현재분사 Look at the sleeping dog. 자고 있는 개를 봐.

He is sleeping in his room. 그는 그의 방에서 자고 있다.

개념 원리 확인

Answers p. 20

A 밑줄 친 부분에 해당하는 것에 ☑표 하기

01 My hobby is <u>listening</u> to jazz music. ☐ 현재분사 ☐ 동명사

02 <u>Running</u> in the classroom is dangerous. ☐ 현재분사 ☐ 동명사

03 The monkey is <u>climbing</u> the tree. ☐ 현재분사 ☐ 동명사

04 I saw the boys <u>sitting</u> on the bench. ☐ 현재분사 ☐ 동명사

05 She bought <u>dancing</u> shoes at the shop. ☐ 현재분사 ☐ 동명사
　　dancing shoes 무용할 때 신는 신발

06 There are people <u>swimming</u> in the pool. ☐ 현재분사 ☐ 동명사

3주
3일

B 밑줄 친 부분에 유의하며 문장을 우리말로 쓰기

01 Look at the <u>running tigers</u>.

02 We saw <u>a sleeping koala</u> in the tree.

03 I'm interested in <u>making furniture</u>.
　　furniture 가구

04 His plan is <u>traveling around the world</u>.

05 I want to learn <u>something exciting</u>.

06 <u>Playing the piano</u> is a fun activity.

3일 기초 집중 연습

> ### 밑줄 친 부분을 바르게 고쳐 문장 다시 쓰기

01
I enjoy listen to music.

02
Learning English are easy.

03
I'm sorry for make a noise.

04
Do you know the woman in the wait room?

05
He's good at bake bread.

Self Check   나는 동명사를 바르게 사용하여 문장을 쓸 수 있다. Yes ◯ / No ◯

> ## 주어진 말을 배열하여 쓰기

06

나는 영화보러 가는 것을 포기했다. (gave up, I, the movies, going to) 🐱 give up 포기하다

07

그녀는 소설 읽는 것을 끝냈다. (reading, she, the novel, finished)

08

선글라스를 쓰고 있는 소년이 있다. (is, sunglasses, a boy, there, wearing)

09

몇몇 사람들이 공원에서 달리고 있다. (are, some people, running, the park, in)

10

여행을 계획하는 것은 쉽지 않다. (easy, planning, a trip, is, not)

 Self Check 나는 동명사와 현재분사를 구분하여 문장을 바르게 배열하여 쓸 수 있다. Yes ◯ / No ◯

3주 4일 | 수 일치

 동사를 주어의 수와 인칭에 따라 일치시키는 것을 수 일치라고 해요.

| 단수 취급하는 주어 | 단수 주어 뒤에는 is/was, 일반동사는 현재시제일 때 3인칭 현재형을 써요. |

| every+단수 명사
모든 ~ | Every student <u>is</u> different.
모든 학생은 다르다. |

| the number of+복수명사
~의 수 | The number of polar bears <u>has</u> decreased.
북극곰의 수가 줄어들고 있다. |

| 나라, 거리, 금액,
무게, 시간, 작품 이름 | Three hours <u>is</u> a long time to wait.
3시간은 기다리기에 긴 시간이다. |

| 복수 취급하는 주어 | 복수 주어 뒤에는 are/were, 일반동사는 현재시제일 때 동사원형을 써요. |

| both ~
~ 둘 다 | Both of them <u>are</u> friendly.
그들 둘 다 다정하다. |

| a number of+복수명사
많은 ~ | A number of people <u>speak</u> English.
많은 사람들이 영어를 말한다. |

| the+형용사
~ 한 사람들 | The young <u>are</u> full of hope.
젊은 사람들은 희망으로 가득 차 있다. |

| 항상 복수인 명사 | The shoes <u>look</u> expensive.
신발이 비싸 보인다. |

수 일치에 대해 읽고, 영어 문장 속에서 익혀 보세요.

단수 취급하는 주어+단수동사

France is famous for the Louvre. 프랑스는 루브르 박물관으로 유명하다.

복수 취급하는 주어+복수동사

A number of people were waiting for the bus. 많은 사람들이 버스를 기다리고 있었다.

개념 원리 확인

○ Answers p. 21

A   알맞은 말 고르기

01   Both scientists (is / are) very smart.

02   The jeans (look / looks) good on you.   🐱 look good on ~에게 어울리다

03   Every player (have / has) a role on the team.   🐱 role 역할

04   The poor (don't / doesn't) have enough food to eat.
🐱 the poor는 poor people을 의미해요.

05   A number of students (is / are) going on the field trip.

06   Two kilometers (is / are) a long way to walk.

B   밑줄 친 부분 바르게 고쳐 쓰기

01   The old <u>needs</u> help from the young.

02   Both Amy and her sister <u>has</u> curly hair.

03   Ten thousand <u>are</u> the number after 9999.

04   The number of visitors <u>increase</u> every year.
🐱 increase 증가하다

05   *King Lear* <u>were</u> written by Shakespeare.

06   The sunglasses <u>protects</u> your eyes from the sun.
🐱 protect 보호하다

 주절의 시제가 현재일 때, 종속절의 시제는 어느 것이나 쓸 수 있어요.

I know 주절: 현재 that

he is a pilot. 종속절: 현재
나는 그가 조종사라는 것을 안다.

he was a pilot. 종속절: 과거
나는 그가 조종사였다는 것을 안다.

 주절의 시제가 과거일 때, 종속절의 시제는 과거 또는 과거완료를 쓸 수 있어요.

I knew that he was a pilot. 나는 그가 조종사였다는 것을 알았다.
주절: 과거   종속절: 과거

종속절이 불변의 진리, 속담, 현재의 사실이나 습관일 때는 항상 현재시제를,
역사적 사실을 말할 때는 항상 과거시제를 써요.

He said that he takes swimming lessons on Fridays.
주절: 과거   종속절: 현재(현재의 습관)
그는 금요일마다 수영 수업을 받는다고 말했다.

I know that the Eiffel Tower was built in 1889.
주절: 현재   종속절: 과거(역사적 사실)
나는 에펠 탑이 1889년에 세워졌다는 것을 안다.

시제 일치에 대해 읽고, 영어 문장 속에서 익혀 보세요.

시제 일치 　주절(현재시제)−종속절(모든 시제 가능)／주절(과거시제)−종속절(과거·과거완료시제)

• I think you were the best student. 　나는 네가 최고의 학생이었다고 생각한다.

• I thought you were the best student. 　나는 네가 최고의 학생이었다고 생각했다.

시제 일치 예외 　불변의 진리, 속담, 현재 습관은 현재시제／역사적 사실은 과거시제

• Dad said the early bird gets the worm. 　아빠는 일찍 일어나는 새가 벌레를 잡는다고 말씀하셨다.

개념 원리 확인

○ Answers p. 22

A 밑줄 친 부분이 어법상 바르면 ○표, 어색하면 ×표 하기

01 We knew that water <u>freezes</u> at 0°C. ☐

02 I think that the man <u>is</u> a famous singer. ☐

03 We learned that World War Ⅱ <u>ends</u> in 1945. ☐

04 He told me that his father <u>is</u> a teacher. ☐

05 Do you know that the gym <u>closed</u> on Tuesdays? ☐

B 밑줄 친 부분 바르게 고쳐 쓰기

01 I heard that Juwon always <u>got</u> up late. ☐
나는 주원이가 항상 늦게 일어난다고 들었다.

02 Mom said every cloud <u>had</u> a silver lining. ☐
엄마는 괴로움이 있으면 즐거움도 있다고 말씀하셨다.
🐱 Every cloud has a silver lining. 괴로움이 있으면 즐거움도 있다. (속담)

03 He learned that Charles Dickens <u>writes</u> *Oliver Twist*. ☐
그는 찰스 디킨스가 '올리버 트위스트'를 썼다고 배웠다.

04 I know that Leonard da Vinci <u>is</u> born in Italy. ☐
나는 레오나르도 다빈치가 이탈리아에서 태어났다는 것을 안다.

05 They thought that the bus <u>left</u> every thirty minutes. ☐
그들은 버스가 30분마다 떠난다고 생각했다. 🐱 every thirty minutes 30분마다

3주 4일 기초 집중 연습

밑줄 친 부분을 바르게 고쳐 문장 다시 쓰기

01

She said that the Earth <u>went</u> around the Sun.

02

Three thousand won <u>were</u> enough to buy sandwiches.

03

The Netherlands <u>are</u> famous for tulips. 🐱 be famous for ~로 유명하다

04

The deaf <u>uses</u> sign language.

🐱 the deaf = deaf people 청각장애인들, sign language 수화

05

We learned that Columbus <u>discovers</u> America in 1492.

 Self Check 나는 수와 시제에 알맞게 동사를 사용하여 문장을 쓸 수 있다. Yes ○ / No ○

주어진 말을 배열하여 쓰기

06

너와 나 둘 다 스포츠를 좋아하지 않는다. (like, and, don't, you, I, both, sports)

07

많은 사람들이 경기를 보고 있었다. (watching, people, were, a number of, the game)

3주

4일

08

나는 시험에 통과하기 위해서 최선을 다했다고 생각했다. (the exam, did, I, to pass, my best)

I thought that   .

09

모든 학생은 규칙을 따라야 한다. (the rules, has to, every, follow, student) 🐱 have to ~해야 한다

10

너는 그녀가 매일 커피를 마시는 것을 알았니? (drinks, coffee, every day, she)

Did you know that   ?

 Self Check 나는 수와 시제에 알맞게 문장을 바르게 배열하여 쓸 수 있다. Yes ◯ / No ◯

접속사	의미	예문
since	～이후로(때) ～ 때문에(이유)	I haven't eaten anything since I woke up. 나는 일어난 이후로 아무것도 먹지 않았다. Since I was not hungry, I didn't eat anything. 나는 배고프지 않기 때문에 아무것도 먹지 않았다.
if	만약 ～한다면 (조건)	If you are hungry, I will make you *gimbap*. 만약 네가 배고프다면, 내가 네게 김밥을 만들어 줄 것이다.

• '접속사＋주어＋동사' 형태

• 조건을 나타내는 부사절(if절)에는 미래의 일을 나타내는 경우에도 현재시제를 씀

접속사 since, if를 영어 문장 속에서 익혀 보세요.

• **I have lived in London since I was 5.** 나는 다섯 살 때부터 런던에 살고 있다.

• **Since I was busy, I couldn't go to the movies.** 나는 바빴기 때문에 영화를 보러 갈 수 없었다.

• **If I pass the exam, I will be happy.** 만약 내가 시험에 통과한다면, 나는 기쁠 것이다.

개념 원리 확인

○ Answers p. 22

A 개념 다지기

절을 이끄는 접속사 뒤에는 **01** (주어+동사 / 명사나 명사구) 형태가 와.

'만약 ~한다면'의 의미로 조건을 나타내는 접속사는 **02** (if / since)야.

조건을 나타내는 if절에서 미래에 관해 말할 때 **03** (현재 / 미래)시제를 써.

때와 이유를 나타내는 접속사인 **04** (if / since)는 '~이후로, ~때문에'라는 의미야.

B 알맞은 말 고르기

01 Since I have a cold, I (can / can't) taste anything.
🐱 접속사가 문장 앞에 나올 때는 쉼표(,)를 써요.

02 (If / Since) she was young, she has played the piano.

03 You (kept / will keep) healthy if you exercise.

04 I will not go swimming if it (rains / will rain) tomorrow.
🐱 조건을 나타내는 부사절에서는 현재시제가 미래의 의미를 나타내요.

05 He has lived in the house since he (is / was) 8 years old.

06 You (can / can't) ride the roller coaster since you are too small.

 before와 after는 둘 다 때를 나타내는 접속사로, 뒤에는 '주어＋동사 ～'가 와요.

before ～하기 전에

Before I brush my teeth, I have breakfast. 나는 이를 닦기 전에 아침 식사를 한다.

I brush my teeth before I put on my uniform. 나는 교복을 입기 전에 이를 닦는다.

after ～한 후에

After I wash my hands, I feed my cat. 나는 손을 씻은 후에 고양이 밥을 준다.

I play soccer after I feed my cat. 나는 고양이 밥을 준 후에 축구를 한다.

접속사 before, after를 영어 문장 속에서 익혀 보세요.

• Before he goes to bed, he listens to music. 그는 잠자리에 들기 전에 음악을 듣는다.

  = He listens to music before he goes to bed.

• After he takes a shower, he drinks water. 그는 샤워를 한 후에 물을 마신다.

  = He drinks water after he takes a shower.

개념 원리 확인

o Answers **p. 23**

A 먼저 한 일에 1, 나중에 한 일에 2 쓰기

01 After Mr. Jo <u>had lunch</u>, he <u>took a walk</u>. 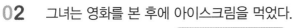 take a walk 산책하다
☐ ☐

02 I <u>read a book</u> before I <u>went to school</u>.
☐ ☐

03 <u>Do your homework</u> after you <u>eat snacks</u>.
☐ ☐

04 Before they <u>took the train</u>, they <u>bought some water</u>.
☐ ☐

05 She <u>called her grandmother</u> after she <u>washed her dog</u>.
☐ ☐

B before 또는 after를 이용하여 문장 완성하기

> 필요한 경우 주어진 말의 형태를 바꾸어 쓰세요.

01 우리는 도서관에 가기 전에 자전거를 탔다.

[   ] we went to the library, we rode our bikes.

02 그녀는 영화를 본 후에 아이스크림을 먹었다.

She ate ice cream [   ] she watched the movie.

03 너는 약을 먹은 후에 나아질 것이다. (take some medicine) take medicine 약을 먹다

You'll feel better [   ].

04 나는 불을 끈 후에 방을 떠났다. (turn off the light) turn off 끄다

[   ], I left the room.

05 그들은 박물관을 가기 전에 Joseph을 만났다. (go to the museum)

[   ], they met Joseph.

3주 5일 기초 집중 연습

시제에 맞게 동사의 형태를 바꾸어 쓰세요.

> **주어진 말을 활용하여 문장 완성하기**

01

만약 눈이 온다면, 나는 눈사람을 만들 것이다. (if, it, snow)

[   ], I will make a snowman.

02

그들은 버스를 놓쳤기 때문에 지각했다. (since, miss)

[   ], they were late.

03

나는 10살 때부터 일기를 쓰고 있다. (since, 10 years old) 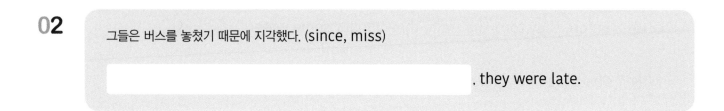 keep a diary 일기를 쓰다

I've kept a diary [   ].

04

그는 시험을 치기 전에 열심히 공부했다. (before, take an exam)

[   ], he studied hard.

05

그녀는 사고를 본 후에 경찰에 전화했다. (after, see the accident)

[   ], she called the police.

 Self Check 나는 접속사를 바르게 사용하여 문장을 쓸 수 있다. Yes ◯ / No ◯

> **주어진 말을 배열하여 쓰기**

06

만약 내가 큰 개를 본다면, 나는 도망갈 것이다. (see, if, run away, will, I)

I ⬚⬚⬚⬚⬚⬚⬚⬚⬚⬚ a big dog.

07

그녀는 상한 음식을 먹었기 때문에 배가 아팠다. (ate, since, had a stomachache, she)

She ⬚⬚⬚⬚⬚⬚⬚⬚⬚⬚ bad food.

🐱 stomachache 복통

08

Mark는 디자이너가 되기 전에 의사였다. (became, a doctor, was, before, he)

Mark ⬚⬚⬚⬚⬚⬚⬚⬚⬚⬚ a designer.

09

우리는 손을 씻은 후에 샌드위치를 만들었다. (washed, made, after, we, sandwiches)

We ⬚⬚⬚⬚⬚⬚⬚⬚⬚⬚ our hands.

10

그는 어렸을 때부터 배드민턴을 치고 있다. (has, since, badminton, was, he, played)

He ⬚⬚⬚⬚⬚⬚⬚⬚⬚⬚ young.

Self Check 나는 접속사가 쓰인 문장을 바르게 배열하여 완성할 수 있다. Yes ◯ / No ◯

▶ 보라색 글자에 유의하며, 만화를 읽어 봅시다.

① My family went to the amusement park.
It was built in 1988.

SINCE 1988
FAP
Fantastic Amusement Park

② The roller coaster was amazing.

AAAAAHHHHH·······

③ We ate fried chicken for lunch.

SINCE 1998
FFC
Fantastic Fried Chicken

④ I was really excited.

DIARY
SINCE 2008

해석

① 우리 가족은 놀이 공원에 갔다. 그것은 1988년에 지어졌다.

② 롤러코스터는 놀라웠다.

③ 우리는 점심으로 프라이드 치킨을 먹었다.

④ 나는 정말로 신났다.

수동태는 'be동사＋과거분사'
형태로 나타내요.
현재분사는 '동사원형＋-ing' 형태로
능동이나 진행의 의미를, 과거분사
는 '동사원형＋-ed' 형태로 수동이나
완료를 나타내요.

▶ 보라색 글자에 유의하며, 만화를 읽어 봅시다.

① You are **wearing** sunglasses.

Yes. **Wearing** them is fun.

② 한번 써볼래?
Both of them are nice.

③ **Before** I wear the sunglasses, everything looks gray.

④ **After** I wear them, everything looks yellow and bright!

해석

❶ 외계인 1: 너는 선글라스 쓰고 있네.
　 외계인 2: 응. 선글라스를 쓰는 건 재미있어.
❷ 외계인 2: 둘 다 괜찮아.
❸ 외계인 1: 내가 선글라스를 쓰기 전에는 모든 것이 회색으로 보여.
❹ 외계인 1: 내가 선글라스를 쓴 후에는 모든 것이 노랗고 화사하게 보여!

동명사는 명사 역할을 해서
주어, 보어, 목적어로 쓰여요.
접속사 before와 after는
때를 나타내요.

A 표에서 알맞은 말을 골라 수동태 문장을 완성해 봅시다. (중복 사용 가능)

be동사	부정어	과거분사	표현
be		caught	by Sujin
		bought	in 1902
is		loved	by her
	not	solved	by the police
was		cooked	by a chef
		broken	in Korea
were		built	by him

1 The cup [   ]. 그 컵은 수진이에 의해 깨졌다.

2 The man [   ]. 그 남자는 경찰에 의해 잡혔다.

3 The song [   ]. 그 노래는 한국에서 사랑받는다.

4 [   ] the school [   ]? 그 학교는 1902년에 지어졌니?

5 The flowers [   ]. 꽃들은 그녀에 의해 구입되지 않았다.

6 Dinner will [   ]. 저녁은 요리사에 의해 요리될 것이다.

7 The problems [   ]. 그 문제들은 그에 의해 해결되었다.

B 크로스워드 퍼즐을 완성해 봅시다.

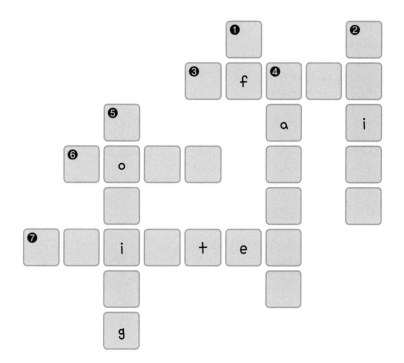

세로

1 조건을 나타내는 접속사 [　　　　　]은(는) '만약 ~한다면'의 의미이다.

2 cry의 과거분사는 [　　　　　](이)다.

4 He enjoys [　　　　　] pictures. 그는 사진 찍는 것을 즐긴다.

5 The movie was [　　　　　]. 그 영화는 지루했다.

가로

3 '~한 후에'라는 시간을 나타내는 접속사는 [　　　　　](이)다.

6 She said that she (lose / lost) her bag. 그녀는 가방을 잃어버렸다고 말했다.

7 the magazine [　　　　　] in English 영어로 쓰인 잡지

C 번호를 따라가며 문제를 풀어 봅시다.

START

1
The toy car (made / was made)
by my grandfather.

2
The cookies were eaten by the kids.

부정문으로

The cookies were _____ _____
by the kids.

4
주어진 말을 현재분사 또는 과거분사로 쓰기
the man _____ on the bench (sit)
벤치에 앉아 있는 남자

3
The car was fixed by Judy.

의문문으로

_____ the car _____ by Judy?

5
The game was (exciting / excited).
I was (exciting / excited).

6
공통으로 알맞은 말 쓰기
He is _____.
His hobby is _____.
그는 수영을 하고 있다. 그의 취미는 수영하는 것이다.

7

Little Women (is / are)
my favorite novel.

8

A number of oranges (was / were)
on the table.

10

He told me that practice
(makes / made) perfect.
그는 내게 연습이 완벽을 만든다고 말했다.

9

I will go outside
(if / before) it is sunny.
만약 화창하다면 나는 밖에 나갈 것이다.

11

주어진 말을 배열하여 쓰기
나는 10살 때부터 영어 공부를 하고 있다.
(since, I, English, studied, have)

➡ _____ I was 10.

12

밑줄 친 부분을 우리말로 쓰기
<u>Since I was tired</u>, I went home early.

➡ _____

FINISH

[01-02] 올바른 문장을 골라 봅시다.

01

a. Was the apple trees cut by Ms. Cooper?

b. The bike was fixed by her.

02

a. The jeans looks good on you.

b. Both students are smart.

[03-05] 밑줄 친 부분을 바르게 고쳐 문장을 다시 써 봅시다.

03

Don't wake up the <u>slept</u> baby.

> ○

04

He enjoys <u>watch</u> horror movies.

> ○

05

I will not go swimming if it <u>will rain</u> tomorrow.

> ○

● Answers p. 24

[06-07] 주어진 말을 바르게 배열하여 써 봅시다.

06

Louis는 그 소식에 놀랐다. (the news, Louis, surprised, was, by)

07

나는 학교에 가기 전에 책을 읽었다. (to, I, school, went, before)

I read a book _____ .

[08-10] 괄호 안에서 알맞은 말을 골라 문장을 다시 써 봅시다.

08

The computers are (not used / used not) by the students.

➤

09

He told me that his father (is / was) a pilot.

➤

10

I have lived in Paris (if / since) I was 5.

➤

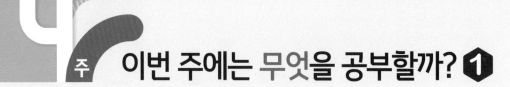

happy **happily**

형용사 부사
행복한 행복하게

원급은 형용사나 부사의 원래 형태를 말해요.

셀 수 있는 명사

 an apple

two apples

셀 수 없는 명사

| 고유 | 추상 | 물질 |

명사는 크게 셀 수 있는 명사와 셀 수 없는 명사로 나눠요.
셀 수 있는 명사는 복수형으로 쓸 수 있지만,
셀 수 없는 명사는 항상 단수형으로 써요.

Wash **the dishes** .

동사원형
씻어라

명령문은 명령, 요구, 금지 등을 나타내는 문장으로
보통 주어 You를 생략하고 동사원형으로 시작해요.

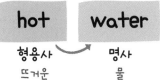

hot	water
형용사	명사
뜨거운	물

very	hot	water
부사	형용사	
무척	뜨거운	

형용사는 (대)명사를 앞 또는 뒤에서 꾸며요.
부사는 동사, 형용사, 다른 부사, 또는 문장 전체를 꾸며요.

both	donuts	and	pizza

---------- 상관접속사 ----------

도넛과 피자 둘 다

접속사는 단어와 단어, 구와 구, 절과 절, 문장과 문장을 연결하는 역할을 해요.
상관접속사는 두 개 이상의 요소가 짝이 되어
하나의 접속사 역할을 해요.

4주

1일	●비교급과 최상급	●여러 가지 비교급 표현
2일	●여러 가지 최상급 표현	●원급 비교
3일	●형용사와 부사	●수량 형용사
4일	●명령문＋and/or	●강조의 do
5일	●부정대명사	●상관접속사

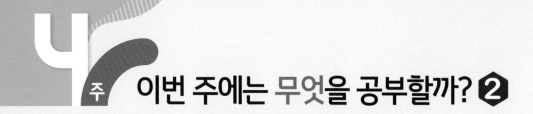

이번 주에는 무엇을 공부할까? ❷

원급 비교

'as+원급+as'의 형태로, 두 대상의 특징이 동등할 때 형용사나 부사의 원급을 사용하여 비교한다.

The snowman is as tall as the dog.

눈사람은 개만큼 키가 크다.

○ Answers p. 24

❷-1 문장에서 'as+원급+as' 표현을 찾아 밑줄을 쳐 봅시다.

01   Chris eats as much as Alice.

02   The mouse ran as fast as the cat.

03   The movie is as funny as the book.

04   The table is as heavy as the desk.

05   This watch is as old as that ring.

06   That cookie tasted as sweet as this donut.

수량 형용사

수, 양, 정도 등을 나타내는 형용사이다.
예 many, much, few, a few, little, a little, a lot of 등

The cat has a lot of fish.
고양이는 많은 물고기가 있다.

○ Answers p. 24

②-2 문장에서 수량 형용사를 찾아 밑줄을 쳐 봅시다.

01   There were a few people.

02   We had only a little time.

03   I saw few birds at the park.

04   Jessica will read a lot of books.

05   There is little juice in the bottle.

06   They took many pictures yesterday.

4주 1일 | 비교급과 최상급

비교급 비교급은 '…보다 더 ~한'의 의미로 형용사 또는 부사를 이용하여 두 대상을 비교할 때 써요.

형용사/부사er than	more 형용사/부사 than

Hamburgers are more popular than hot dogs.

햄버거가 핫도그보다 더 인기 있다.

최상급 최상급은 셋 이상의 대상을 비교하여 '…에서 가장 ~한' 것을 나타내요.

the 형용사est/부사est	(the) most 형용사/부사

Pizza is the most popular of the three.

피자가 셋 중에 가장 인기 있다.

형용사/부사		대부분	자음+y	단모음+단자음	3음절 이상
규칙	비교급	-(e)r	y → -ier	자음+-er	앞에 more 추가
	최상급	-(e)st	y → -iest	자음+-est	앞에 most 추가
불규칙		good/well – better – best		bad/ill – worse – worst	
		many/much – more – most		little – less – least	

비교급과 최상급에 대해 읽고, 영어 문장 속에서 익혀 보세요.

1 비교급: 형용사/부사+-er **than** 두 대상을 비교 (…보다 더 ~한)

2 최상급: (the) 형용사/부사+-est 셋 이상의 대상을 비교 (…에서 가장 ~한)

• **Dad drives more slowly than Mom.** 아빠는 엄마보다 더 천천히 운전하신다.

• **This trip was the most exciting in my life.** 이 여행이 내 인생에서 가장 흥미진진했다.

개념 원리 확인

○ Answers p. 25

A 알맞은 말 고르기

01 A tiger is (faster / the fastest) than a giraffe.

02 Yesterday was (hotter / the hottest) than today.

 hot은 '단모음+단자음' 형태로 비교급과 최상급을 만들 때 자음을 한 번 더 써요.

03 This coat is the (cheap / cheapest) of the three.

04 Ms. White speaks Spanish (better / best) than Lucy.

05 That chair isn't the (more / most) comfortable in the shop.

06 Dad's English is (bad / worse) than mine.

B 주어진 말을 활용하여 문장 완성하기

형용사의 형태를 바꾸어 쓰세요.

01 그 다리가 이 건물보다 더 오래되었다. (old)

The bridge is ⬚ this building.

02 오늘은 그의 인생에서 최고의 날이었다. (good)

Today was ⬚ day in his life.

03 두 번째 영화가 첫 번째 영화보다 더 못하다. (bad)

The second movie is ⬚ the first one.

 one = movie

04 빨간 장미가 정원에서 가장 아름답다. (beautiful)

The red roses are ⬚ in the garden.

비교급 and 비교급 점점 더 ~한

the 비교급 ~, the 비교급 … ~하면 할수록 더 …한

비교급 강조 훨씬 더 ~한

비교급을 강조할 때, 비교급 앞에 a lot, even, far, much, still을 써요.

very는 비교급을 강조할 수 없어요.

여러 가지 비교급 표현을 영어 문장 속에서 익혀 보세요.

- **The man spoke more and more quietly.** 그 남자는 점점 더 조용하게 말했다.

- **The older she gets, the wiser she becomes.** 그녀는 나이가 더 들수록 더 현명해진다.

- **She can sing far better than you.** 그녀는 너보다 노래를 훨씬 더 잘할 수 있다.

개념 원리 확인

○ Answers p. 25

A 주어진 말이 들어갈 곳에 ☑표 하기

01 날이 점점 더 어두워졌다. (and)

It ☐ became ☐ darker ☐ darker ☐.

🐱 '비교급 and 비교급' 표현은 주로 become, get 등의 동사와 함께 쓰이며 '점점 더 ~해지다'라는 뜻이에요.

02 그들이 더 높이 올라가면 갈수록 더 춥게 느꼈다. (the)

The higher ☐ they ☐ went up, ☐ colder ☐ they felt.

03 빨간색 셔츠가 검정색 셔츠보다 훨씬 더 저렴하다. (even)

The red shirt ☐ is ☐ cheaper ☐ than ☐ the black one.

🐱 one = shirt

04 오렌지가 더 신선하면 할수록 맛이 더 좋다. (the better)

The fresher ☐ the orange ☐ is, ☐ it ☐ tastes.

05 Harry의 장난감이 내 것보다 훨씬 더 비쌌다. (much)

Harry's toy ☐ was ☐ more ☐ expensive than ☐ mine. 🐱 mine = my toy

B 알맞은 말 고르기

01 Water is (farther / far) more useful than diamonds.

02 Baking was getting (easiest / easier) and easier.

03 The sooner we leave, the (earlier / earliest) we will arrive.

04 My sweater got (smaller and smaller / smallest and smallest).

05 The (more / most) you experience, the (more / most) you learn. 🐱 experience 경험하다

필요하면 단어의
형태를 바꾸어 쓰세요.

주어진 말을 활용하여 문장 완성하기

01 Adam이 그의 반에서 가장 힘이 세다.

Adam is _____ .

strong,
in his class

02 공이 더 무거우면 무거울수록 더 빨리 간다.

_____ the ball is, _____ it goes.

heavy,
fast

03 박물관이 미술관보다 더 흥미롭다.

The museum is _____ the gallery.

interesting

04 지구가 점점 더 따뜻해지고 있다.

The Earth is getting _____ .

warm

05 그의 역할이 내 것보다 훨씬 더 중요하다.

His role is _____ mine.

a lot,
important

 Self Check 나는 비교급과 최상급을 바르게 쓸 수 있다. Yes ○ / No ○

주어진 말을 배열하여 쓰기

06

비가 더 많이 올수록 강은 수위가 더 높아진다. (rains, rises, the river, the more, the higher, it)

07

내 남동생이 Eric보다 훨씬 더 게으르다. (than, my brother, lazier, Eric, is, far)

08

그는 세 아들 중 맏이다. (the, he, eldest, three sons, is, of)

09

Alice의 목소리가 점점 더 커지고 있었다. (and, getting, Alice's voice, louder, was, louder)

10

네가 더 빨리 지원할수록 너는 더 빨리 시작한다. (begin, the sooner, apply, you, the sooner, you)

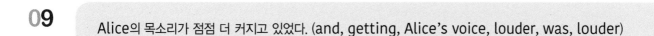 apply 지원하다

 나는 비교급과 최상급을 사용하여 문장을 바르게 배열하여 쓸 수 있다. Yes ○ / No ○

최상급을 사용해서 다양한 표현의 문장을 쓸 수 있어요.

> He is one of the best farmers in the town.
> 그는 마을 최고의 농부 중 한 명이야.

> That is the biggest carrot that I've ever seen.
> 저건 내가 지금까지 본 당근 중 가장 커.

the 최상급 ~ of + 복수명사
the 최상급 ~ in + 장소·범위   …에서 가장 ~한 / 하게

Nick is the tallest student in my class. Nick은 우리 반에서 가장 키가 큰 학생이다.

one of the 최상급 + 복수명사 ☆   가장 ~한 … 중 하나

It was one of the funniest movies. 그것은 가장 재미있는 영화 중 하나였다.

the 최상급 + 명사 + (that +) 주어 + have / has ever + 과거분사   지금까지 …한 것 중 가장 ~한

Seoul was the best city that she has ever visited.
서울은 그녀가 지금까지 방문한 도시 중 최고였다.

여러 가지 최상급 표현을 영어 문장 속에서 익혀 보세요.

- This park is **the biggest of** the three. 이 공원이 셋 중에서 가장 크다.

- This park is **the biggest in** the town. 이 공원이 마을에서 가장 크다.

- She is **one of the smartest students** in our class. 그녀는 우리 반에서 가장 똑똑한 학생 중 한 명이다.

- She is **the smartest student that we've ever met.** 그녀는 우리가 만난 학생 중 가장 똑똑하다.

개념 원리 확인

○ Answers **p. 26**

A 개념 다지기

'…에서 가장 ～한/하게'의 뜻으로 'the+**01** ☐☐☐+of/in+비교 대상'을 써.

'one of the 최상급+**02** (단수 / 복수) 명사'는 '가장 ～한 … 중 하나'라는 뜻이야.

'the 최상급+명사+that+주어+have/has ever+**03** (현재분사 / 과거분사)'는 무슨 뜻일까?

04 ☐☐☐☐☐☐☐☐ (이)라는 뜻이지.

4주

2일

B 알맞은 말 고르기

01 She was the (faster / fastest) runner of them all.

02 This is the (oldest / older) building we've ever seen.

03 It is one of the (longer / longest) tunnels in the country.

04 Mr. Smith was the kindest man she's (met ever / ever met).

05 Math is one of the most difficult (subject / subjects) to her. 🐱 subject 과목

06 Erica is the most intelligent person (of / in) the club. 🐱 intelligent 지적인

2일 | 원급 비교

 형용사와 부사의 원래 형태를 원급이라고 해요.
비교하는 두 대상의 정도가 같을 때 원급을 사용해서 비교해요.

긍정 as + 형용사/부사의 원급 + as   …만큼 ~한/하게

Den is as strong as Anne.
Den은 Anne만큼 힘이 세다.

Den works out as much as Anne.
Den은 Anne만큼 많이 운동한다.

부정 not as + 형용사/부사의 원급 + as   …만큼 ~하지 않은 / 않게

Joe is not as strong as Anne.
Joe는 Anne만큼 힘이 세지 않다.

Joe works out not as much as Anne.
Joe는 Anne만큼 많이 운동하지 않는다.

원급 비교에 대해 읽고, 영어 문장 속에서 익혀 보세요.

1 원급 비교: as + 형용사/부사의 원급 + as

2 원급 비교의 부정: not as + 형용사/부사의 원급 + as

• Today is as cold as yesterday. 오늘은 어제만큼 춥다.

• Today is not as windy as yesterday. 오늘은 어제만큼 바람이 많이 불지 않는다.

개념 원리 확인

○ Answers p. 26

A 알맞은 말 고르기

01 I usually get up as (early / earlier) as my dad.

02 David likes pizza as much (than / as) hamburgers.

03 The blue bag is (as not / not as) expensive as the red one.

04 My computer is (not as new / as new not) as yours. 🐱 yours = your computer

05 Is this sofa as (comfortable / most comfortable) as that one?
🐱 comfortable 편안한

06 Christina is not (old / as old) as Ted.

B 주어진 말을 이용하여 문장 완성하기

01 체육관은 도서관만큼 붐비지 않았다. (not, crowded) 🐱 crowded 붐비는

The gym was [   ] the library.

02 Jessica는 Kate만큼 천천히 말하니? (slowly)

Does Jessica speak [   ] Kate?

03 그 책은 영화만큼 유명하지 않다. (not, famous)

The book is [   ] the movie.

04 연은 풍선만큼 높이 날았다. (high)

The kite flew [   ] the balloon.

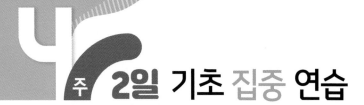

최상급과 원급 비교 표현을
사용하여 문장을 완성하세요.

주어진 말을 이용하여 문장 완성하기

01 그 별은 달만큼 밝았다.

The star was _____.

bright,
the moon

02 건강은 인생에서 가장 중요한 것 중 하나이다.

Health is _____ in life.

important,
things

03 Katie는 그녀의 어머니만큼 부지런하지 않았다.

Katie was _____ her mother.

not,
diligent

diligent 부지런한

04 이것은 그가 지금까지 읽은 것 중 가장 재미있는 책이었다.

This was _____ he's ever read.

interesting,
book

he's = he has

05 그 섬은 그 나라에서 가장 아름답다.

The island is _____.

beautiful,
country

Self Check 나는 최상급 표현과 원급 비교가 쓰인 문장을 완성할 수 있다. Yes ◯ / No ◯

주어진 말을 배열하여 쓰기

06 사과는 오렌지만큼 신선하지 않다. (fresh, not, as, the apples, as, are)

　　　　　　　　　　　　　　　　　　　　the oranges.

07 저곳은 그 도시에서 최악의 음식점 중 하나이다. (worst, is, one, restaurants, of, that, the)

　　　　　　　　　　　　　　　　　　in the city.

08 이 신발이 이 가게에서 가장 저렴하다. (are, the store, cheapest, these shoes, the, in)

09 그녀의 마음은 돌만큼 무거웠다. (heavy, the stone, as, as, was, her heart)

10 그것은 지금까지 내가 들은 것 중 가장 재미있는 이야기였다. (I've, the, ever, story, heard, funniest, that)

It was 　　　　　　　　　　　　　　　　　.

 나는 최상급과 원급 비교를 사용하여 문장을 바르게 배열하여 쓸 수 있다. Yes ○ / No ○

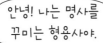
안녕! 나는 명사를 꾸미는 형용사야.

나는 부사야. 동사, 형용사, 다른 부사, 그리고 문장 전체를 수식해.

명사 수식	We made a beautiful dress.

형용사 ⟶ 명사
우리는 멋진 드레스를 만들었다.

동사 수식	He spoke loudly for the old man.

동사 ⟶ 부사
그는 노인을 위해 크게 말했다.

형용사 수식	They all looked very different.

그들은 모두 매우 달라 보였다. 부사 ⟶ 형용사

다른 부사 수식	The car moved quite fast.

차가 꽤 빠르게 움직였다. 부사 ⟶ 부사

문장 전체 수식	Luckily, she found her lost cat.

부사 ⟶ 문장
운 좋게, 그녀는 잃어버린 고양이를 찾았다.

 〈 형용사와 부사의 형태가 같은 경우도 있으니 외워두도록 해. 〉

	early	fast	hard	late
형용사	이른	빠른	열심히 하는	늦은
부사	일찍	빨리	열심히	늦게

형용사와 부사에 대해 읽고, 영어 문장 속에서 익혀 보세요.

1 형용사: 명사 수식

2 부사: 동사, 형용사, 부사, 문장 전체 수식

형용사	I bought a pair of comfortable shoes. 나는 편한 신발 한 켤레를 샀다.
부사	She laughs quietly all the time. 그녀는 항상 조용하게 웃는다.
	My dog swims very well. 내 개는 수영을 매우 잘한다.

A 밑줄 친 부분의 품사에 ☑표 하기

01 The time passed <u>very</u> quickly. ☐ 형용사 ☐ 부사

02 Sam woke up <u>early</u> in the morning. ☐ 형용사 ☐ 부사

03 The chef made a <u>delicious</u> potato soup. ☐ 형용사 ☐ 부사

04 <u>Fortunately</u>, Daniel didn't miss the train. ☐ 형용사 ☐ 부사
　　　🐱 fortunately 다행스럽게도

05 She was a <u>hard</u> worker at her company. ☐ 형용사 ☐ 부사

06 The young man was <u>quite</u> honest. ☐ 형용사 ☐ 부사

B 알맞은 말 고르기

01 She doesn't drive her car (fast / fastly).

02 Lucy had a (bad / badly) cold this week.

03 (Sudden / Suddenly), they left the town. 🐱 sudden 갑작스러운, suddenly 갑자기

04 The coach came (late / lately) for the game.

05 Mr. Miller likes to wear (colorful / colorfully) clothes.

06 Do the girls feel (hungry / hungrily) now?

수와 양을 표현하는 수량 형용사는 뒤에 오는 명사가 셀 수 있는지 없는지에 따라 구분해서 사용해요.

셀 수 있는 명사   many > a few > few

많은   약간의, 몇몇의   거의 없는

Do you have many apples? 사과를 많이 가지고 있나요?

I have a few apples. 나는 사과가 몇 개 있단다.

many, a few, few 뒤에는 명사의 복수형이 와요.

셀 수 없는 명사   much > a little > little

많은   약간의, 몇몇의   거의 없는

How much time do we have? 우리는 시간이 얼마나 많이 있나요?

We have little time. 우리는 시간이 거의 없어.

둘 다 가능   a lot of/lots of > some , any

많은   약간의   약간의, 조금도

Do you have some honey? 너는 꿀이 좀 있니?

No. I don't have any honey. 아니. 나는 꿀이 조금도 없어.

some은 긍정문과 권유문에, any는 부정문과 의문문에 주로 써요.

수량 형용사를 영어 문장 속에서 익혀 보세요.

- He has **few** photos in his cellphone.   그는 휴대폰에 사진이 거의 없다.

- I need **a little** sugar for my pancake.   나는 팬케이크에 넣을 약간의 설탕이 필요하다.

- My family planted **a lot of** pine trees.   우리 가족은 많은 소나무를 심었다.

개념 원리 확인

○ Answers **p. 28**

A 알맞은 말 고르기

01 We had (few / little) snow last winter.

02 She bought (some / any) flowers for me.

03 (Few / Little) people know about this place.

04 Ted spent too (many / much) money on shoes.
🐱 too 너무 (…한)

05 The baby drinks (a lot of / a few) milk a day. 🐱 a day 하루에

06 I will buy (a few / a little) books at the bookstore.

B 알맞은 수량 형용사 쓰기

01 나는 이야기할 친구가 거의 없다.

I have [   ] friends to talk to.

02 Oliver는 소스에 약간의 버터를 첨가했다.

Oliver added [   ] butter to the sauce.

03 케이크를 좀 드시겠어요?

Would you like [   ] cake?

🐱 '~을 원하시나요?'라는 의미로 상대방에게 권유할 때는 'Would you like some＋명사 ~?'를 써요.

04 가게 안에 손님이 조금도 없다.

There aren't [   ] customers in the shop.

수식하는 말에 유의하여
형용사나 부사로 바꾸어 쓰세요.

밑줄 친 부분을 바르게 고쳐 문장 다시 쓰기

01
He talked <u>sad</u> about the accident. 🐱 accident 사고

02
We met a <u>kindly</u> clerk at the bookstore. 🐱 clerk 직원, 점원

03
<u>Luck</u>, they all passed the math test.

04
Would you like <u>any</u> cheesecake?

05
Don't put too <u>many</u> salt in the soup.

🐱 salt(소금)는 셀 수 없는 명사예요.

 Self Check 나는 형용사와 부사를 알맞게 사용할 수 있다. Yes ◯ / No ◯

주어진 말을 배열하여 쓰기

06 병에 약간의 주스가 있었다. (in the bottle, there, juice, was, a little)

07 그들은 몇 개의 의자를 거실로 옮겼다. (they, chairs, into the living room, moved, a few)

08 그녀는 수업에 너무 늦게 왔다. (too, came, to the class, she, late)

09 우리는 농장에서 많은 파인애플을 봤다. (pineapples, saw, a lot of, at the farm, we)

10 중학생들은 그 행사에 거의 참여하지 않았다. (the event, middle school students, attended, few)

 attend 참석하다

 Self Check 나는 형용사와 부사를 사용하여 문장을 바르게 배열하여 쓸 수 있다. Yes ◯ / No ◯

명령문은 주어인 you를 생략하고 동사원형으로 시작해요.
명령문 뒤에 and가 오면, '~해라, 그러면 …할 것이다'라는 의미예요.

Press the button, **and** the door will open.

버튼을 눌러라, 그러면 문이 열릴 것이다.

Watch out, **and** you won't hit the door.

조심해라, 그러면 문에 부딪히지 않을 것이다.

명령문 뒤에 or이 오면 '~해라, 그렇지 않으면 …할 것이다'라는 뜻이에요.

Stop talking, **or** everyone will fall asleep.

말을 그만해라, 그렇지 않으면 모두가 잠들 것이다.

Be awake, **or** your teacher will be angry.

깨어 있어라, 그렇지 않으면 선생님이 화가 나실 것이다.

'명령문 + and / or'를 영어 문장 속에서 익혀 보세요.

- Hurry up, **and** you will not be late. 서둘러라. 그러면 늦지 않을 것이다.

- Eat something sweet, **and** you will feel better. 달콤한 것을 먹어라. 그러면 기분이 나아질 것이다.

- Take an umbrella, **or** you will get wet. 우산을 챙겨라. 그렇지 않으면 젖게 될 것이다.

- Run fast, **or** you will miss the bus. 빨리 뛰어라. 그렇지 않으면 버스를 놓칠 것이다.

개념 원리 확인

○ Answers p. 28

A   알맞은 말 고르기

01   (Have / Had) some rest, or you will not get better. 🐱 get better 좋아지다

02   Read many books, (and / or) you will be smart.

03   Turn right, (and / or) you will see the restaurant.

04   Hurry up, (and / or) you can't have breakfast.

05   (Are / Be) a good listener, (and / or) people won't like you.
🐱 won't = will not

06   (Open / Opens) the window, (and / or) you will get some fresh air.

B   자연스러운 말 연결하기

01   Speak slowly,   •   • a. and the soup will taste better.

02   Take the bus,   •   • b. or you will get a sunburn.
🐱 get a sunburn 햇볕에 타다

03   Add some salt,   •   • c. or they won't understand you.

04   Wear a hat,   •   • d. and you'll succeed.
🐱 succeed 성공하다

05   Do your best,   •   • e. or you'll catch a cold.
🐱 do one's best 최선을 다하다   🐱 catch a cold 감기 들다

06   Put on your jacket,   •   • f. and you'll get there on time.
🐱 put on 입다

4주 4일 | 강조의 do

	형태	의미
동사 강조	do / does / did + 동사원형 ⭐⭐	정말, 정말로

강조의 do를 영어 문장 속에서 익혀 보세요.

- **Amy and I do love animals.** Amy와 나는 정말로 동물을 좋아한다.

- **They do believe this story.** 그들은 정말로 이 이야기를 믿는다.

- **She does want to raise a cat.** 그녀는 정말로 고양이를 키우고 싶다.

- **He did miss his old toys.** 그는 오래된 장난감을 정말로 그리워했다.

개념 원리 확인

○ Answers p. 29

A 알맞은 말 고르기

01 Eric and I (does / do) like onions.

02 He (do / does) remember her name.

03 James did (whisper / whispered) to me. 🐱 whisper 속삭이다

04 These cupcakes do (taste / tastes) amazing. 🐱 amazing 놀라운

05 My uncle (does / did) go shopping last week.

06 They (do / did) send me an e-mail four hours ago.

B 주어진 말이 들어갈 곳에 ☑표 하기

01 She ☐ like ☐ living ☐ in ☐ the city. (does)

02 We ☐ have ☐ the recipe ☐ for ☐ an apple pie. (do)
🐱 recipe 요리법

03 I ☐ set ☐ the alarm, but it ☐ didn't ☐ go off. (did)
🐱 go off 울리다

04 ☐ My parents ☐ miss ☐ the train ☐ yesterday. (did)
🐱 miss 놓치다

05 The twins ☐ play badminton ☐ with ☐ their dad ☐ every Saturday. (do)

06 ☐ Paul ☐ close the window ☐ before ☐ he went out. (did)

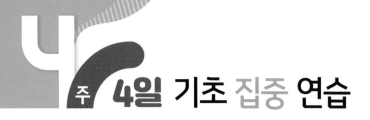

시제와 인칭에 맞게
조동사 do를 바꾸어 쓰세요.

> **do를 활용하여 동사를 강조하는 문장으로 다시 쓰기**

01
Jay likes to walk his dog in the afternoon.

02
You know a lot about Korean history.

03
She cleaned the dog house last Friday.

04
Paul and I bought the new books last weekend.

05
My grandfather grows tomatoes in the garden.

Self Check 나는 동사를 강조하여 문장을 쓸 수 있다. Yes ◯ / No ◯

주어진 말을 배열하여 쓰기

06

더 열심히 노력해라, 그렇지 않으면 너는 더 나아지지 않을 것이다. (get better, or, you, try harder, won't)

07

음식은 따뜻한 날씨에 정말로 빨리 상한다. (quickly, does, in warm weather, food, go bad)

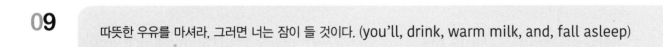 go bad 상하다

08

Kelly는 어젯밤에 회의를 정말로 취소했다. (cancel, last night, Kelly, did, the meeting)

09

따뜻한 우유를 마셔라, 그러면 너는 잠이 들 것이다. (you'll, drink, warm milk, and, fall asleep)

10

우리는 우주비행사가 정말로 되고 싶다. (want, become, do, we, astronauts, to)

Self Check 나는 '명령문 + and / or'과 동사를 강조하는 문장을 바르게 배열하여 쓸 수 있다. Yes ○ / No ○

4주 5일 | 부정대명사

부정대명사는 정해지지 않은 사람이나 사물을 가리키는 대명사예요.

one ~ the other …

(둘 중) 하나는 ~ 나머지 하나는 …

There are two toy cars. One is old and the other is new.

장난감 자동차가 두 대 있다. 하나는 오래된 것이고 나머지 하나는 새 것이다.

one ~, another …, the other –

(셋 중) 하나는 ~, 또 하나는 …, 나머지 하나는 –

I have three bags. One is red, another is blue, and the other is yellow.

나는 가방이 세 개 있다. 하나는 빨간색, 또 하나는 파란색, 그리고 나머지 하나는 노란색이다.

one ~ the others …

(많은 것 중) 하나는 ~ 나머지 전부는 …

There are balls. One is big and the others are small.

공들이 있다. 하나는 크고 나머지 전부는 작다.

some ~ others …

(많은 것 중) 일부는 ~ 또 다른 일부는 …

I got some fruits. Some are apples and others are peaches.

나는 과일을 좀 샀다. 일부는 사과이고 또 다른 일부는 복숭아이다.

부정대명사를 영어 문장 속에서 익혀 보세요.

- I have two caps. **One** is red and **the other** is black.
  나는 모자가 두 개 있다. 하나는 빨간색이고 나머지 하나는 검정색이다.

- He has three dogs. **One** is Coco, **another** is Max, and **the other** is Ash.
  그는 개가 세 마리 있다. 하나는 Coco, 또 하나는 Max, 그리고 나머지 하나는 Ash이다.

- There are books. **One** is thick and **the others** are thin. 책들이 있다. 하나는 두껍고 나머지 전부는 얇다.

- **Some** like kiwis but **others** don't. 일부는 키위를 좋아하지만 또 다른 일부는 좋아하지 않는다.

개념 원리 확인

○ Answers p. 30

A 개념 다지기

둘 중 하나는 one, 나머지 하나는 **01** [　　　　　　] (으)로 나타내.

셋 중 하나는 one, 또 하나는 **02** [　　　　　　], 나머지 하나는 the other로 쓰지.

많은 것 중 하나는 one, 나머지 전부는 **03** [　　　　　　] (으)로 써.

많은 것 중 일부는 some, 또 다른 일부는 **04** [　　　　　　] (으)로 나타내.

4
주

5일

B 알맞은 말 고르기

01 (Some / Other) like strawberries and others like grapes.

02 We met two girls. (One / Some) was short and the other was tall.

03 Some voted for Ms. White and (one / others) voted for Mr. Evans.
🐱 vote for ~에 투표하다

04 I bought two shirts. One was cheap and (another / the other) was expensive.

05 She has four books. One is for kids and (other / the others) are for adults.
🐱 adult 성인

06 I have three pens. One is black, another is red, and (the other / others) is blue.

상관접속사는 두 개 이상의 요소가 짝이 되어 하나의 접속사 역할을 해요.

A와 B 둘 다 (복수 취급)

I like both dogs and cats.
나는 개와 고양이 둘 다 좋아한다.

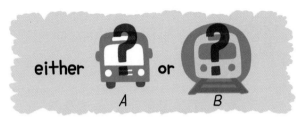

A나 B 둘 중 하나 (동사는 B의 수에 일치)

I'll take either bus or subway.
나는 버스나 지하철 둘 중 하나를 탈 것이다.

A가 아니라 B (동사는 B의 수에 일치)

She is not Italian but French.
그녀는 이탈리아 사람이 아니라 프랑스 사람이다.

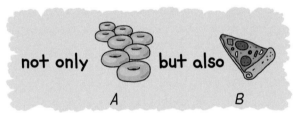

A뿐만 아니라 B도 (동사는 B의 수에 일치)

He ate not only donuts but also pizza. 그는 도넛뿐만 아니라 피자도 먹었다.

both *A* and *B*	A와 B 둘 다	either *A* or *B*	A나 B 둘 중 하나
not *A* but *B*	A가 아니라 B	not only *A* but also *B*	A뿐만 아니라 B도

🐱 상관접속사가 이어주는 말 A와 B는 단어와 단어, 구와 구, 절과 절처럼 서로 대등해야 해요.

상관접속사를 영어 문장 속에서 익혀 보세요.

- **Both** Mina and I are good at singing. 미나와 나 둘 다 노래를 잘한다.

- **Either** he or his friends are telling lies. 그나 그의 친구들 둘 중 한 쪽이 거짓말을 하고 있다.

- **Not** Henry but I am a leader. Henry가 아니라 내가 리더이다.

- **Not only** the stories but also the music is boring. 이야기뿐만 아니라 음악도 지루하다.

개념 원리 확인

Answers p. 30

A 알맞은 상관접속사 쓰기

01 I want to buy both the pants [   ] the skirt.

02 Either Meg [   ] Brian knew the answers.

03 Justin is not [   ] funny but also friendly.

04 Let's go to the park [   ] by bike or on foot. 🐱 *on foot 걸어서*

05 Ms. Nam is not a music teacher [   ] a singer.

06 [   ] Soyun and Juwon speak English well.

B 주어진 말을 배열하여 쓰기

01 그들은 파티를 위해 장미나 튤립 둘 중 하나를 고를 것이다. (or, tulips, either, roses)

They will choose [   ] for the party.

02 Jimmy가 아니라 그의 남동생이 하이킹하러 가고 싶다. (his brother, not, Jimmy, but)

[   ] wants to go hiking.

03 그 책은 아이들에게 쉽고 재미있었다. (interesting, and, easy, both)

The book was [   ] to children.

04 나는 요리하는 것뿐만 아니라 수영하는 것도 즐겼다. (cooking, not only, but also, swimming)

I enjoyed [   ].

5일 기초 집중 연습

알맞은 부정대명사와 상관접속사를 넣어 문장을 완성하세요.

> **주어진 말을 이용하여 문장 완성하기**

01
노래하기와 춤추기 둘 다 내가 좋아하는 활동이다.

_____ are my favorite activities.

singing, dancing

02
Ted는 모자가 두 개 있다. 하나는 작고 나머지 하나는 크다.

Ted has two caps. _____

small, large

03
일부는 유니폼을 입고 또 다른 일부는 청바지를 입는다.

Some wear _____ .

uniforms, jeans

04
당신은 탄산음료나 주스 둘 중 하나를 고를 수 있다.

You can choose _____ .

soda, juice

05
우리는 박물관뿐만 아니라 동물원도 방문했다.

We visited _____ .

the museum, the zoo

 Self Check 나는 부정대명사와 상관접속사를 바르게 쓸 수 있다. Yes ◯ / No ◯

영어를 우리말로 쓰기

06

We will have either pizza or pasta for lunch.

07

He took not cooking classes but *taekwondo* classes. 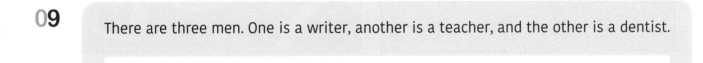 take classes 수업을 듣다

08

She wants to watch both horror and comedy movies.

09

There are three men. One is a writer, another is a teacher, and the other is a dentist.

10

I have four friends. One is from Canada and the others are from Italy.

 Self Check 나는 부정대명사와 상관접속사가 있는 문장을 우리말로 바르게 쓸 수 있다. Yes ○ / No ○

▶ 보라색 글자에 유의하며, 만화를 읽어 봅시다.

1

I swim deeper and deeper.

2

It is the smallest fish that I've ever seen.

3

I can see many kinds of fish.

4

Oh, I have little time. I have to find my dad.

해석

❶ 나는 점점 더 깊이 수영한다.

❷ 그것은 내가 지금까지 본 것 중 가장 작은 물고기이다.

❸ 나는 많은 종류의 물고기를 볼 수 있다.

❹ 아, 나는 시간이 거의 없다. 나는 아빠를 찾아야 한다.

'비교급 and 비교급'은 '점점 더 ~한'이라는 뜻이에요. little은 '거의 없는'의 뜻으로 셀 수 없는 명사를 꾸며요.

▶ 보라색 글자에 유의하며, 만화를 읽어 봅시다.

❶ There are two boxes.
One is red and the other is green.

❷ 선물이야. You can choose one of them.

Wow, thanks a lot.

Mia chooses not the red box but the green one.

❸ Open the box, and you will be surprised.

I LIKE YOU

EEEK

해석

❶ 상자가 두 개 있다. 한 개는 빨간색이고 나머지 한 개는 초록색이다.

❷ 여1: 너는 그것들 중 한 개를 선택할 수 있어.
　여2: 와, 정말 고마워.
　미아는 빨간색 상자가 아니라 초록색 상자를 고른다.

❸ 여: 상자를 열어봐, 그러면 너는 놀랄 거야.

둘 중 하나는 one, 나머지 하나는 the other로 표현해요. '명령문＋and'는 '~해라, 그러면 …할 것이다'라는 의미예요.

A 그림을 보고, 대화를 완성해 봅시다.

1 　2

3

1　A: His speech gets longer and ☐.

그의 연설은 점점 더 길어지고 있어.

　　B: The ☐ he speaks, the more we feel sleepy.

그가 말을 하면 할수록 우리는 더 졸려.

2　A: Stop playing the violin, ☐ we'll be angry.

바이올린 연주를 그만해. 그렇지 않으면 우리는 화가 날 거야.

　　B: It's the ☐ music I've ever heard.

그것은 내가 지금까지 들어 본 음악 중 최악이야.

3　A: I do want some apples.

저는 정말로 약간의 사과를 원해요.

　　B: I have three apples. One is big and ☐ ☐ are small.

나는 사과가 세 개 있단다. 하나는 크고 나머지 전부는 작지.

B

힌트 를 참고하여 그래프에서 알맞은 알파벳을 찾아 문장을 완성해 봅시다.

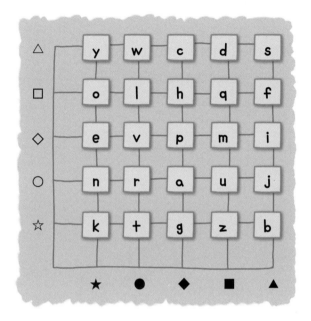

힌트

(▲,☆) (★,□) (★,△)

➡ b   o   y

1 Sam is the ☐☐☐☐ diligent boy in my school.
(■,◇) (★,□) (▲,△) (●,☆)

2 Paul raised his hand ☐☐☐ faster than Emma.
(▲,□) (◆,○) (●,○)

3 Baseball is ☐☐ popular ☐☐ soccer.
(◆,○) (▲,△)　　　(◆,○) (▲,△)

4 There are ☐☐☐ boxes on the floor.
(▲,□) (★,◇) (●,△)

5 Turn left, ☐☐☐ you can see the bus stop.
(◆,○) (★,○) (■,△)

6 ☐☐☐☐ Paris and Rome are famous cities.
(▲,☆) (★,□) (●,☆) (◆,□)

문장의 첫 글자는
대문자로 써요.

C 번호를 따라가며 문제를 풀어 봅시다.

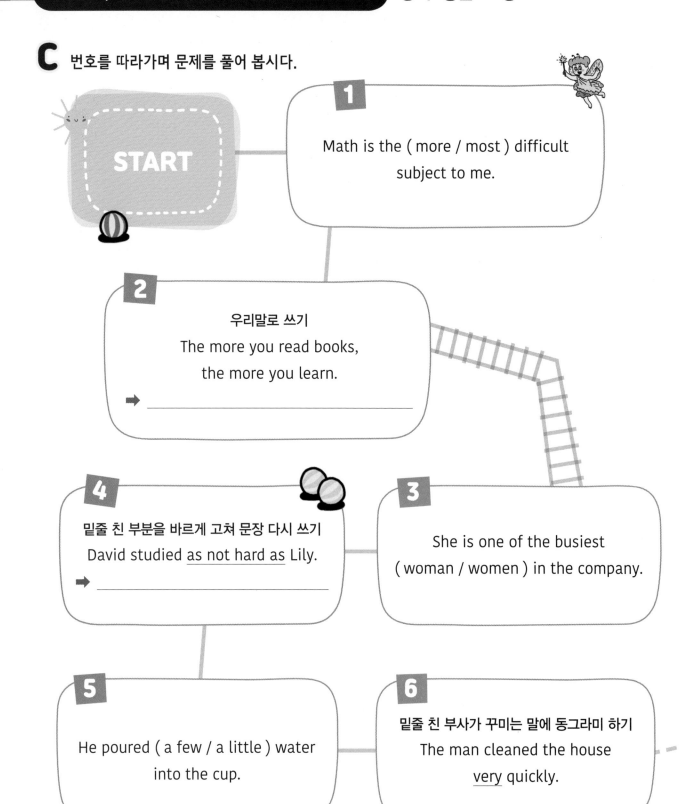

START

1
Math is the (more / most) difficult
subject to me.

2
우리말로 쓰기
The more you read books,
the more you learn.
➡ _____

3
She is one of the busiest
(woman / women) in the company.

4
밑줄 친 부분을 바르게 고쳐 문장 다시 쓰기
David studied <u>as not hard as</u> Lily.
➡ _____

5
He poured (a few / a little) water
into the cup.

6
밑줄 친 부사가 꾸미는 말에 동그라미 하기
The man cleaned the house
<u>very</u> quickly.

7

Be careful, (and / or) you'll get hurt.

8

They got to school on time.

동사를 강조하는 문장으로

_____

10

We'll leave either on Friday _____ on Sunday.

9

Some came by bus and (one / others) came by car.

11

주어진 말을 배열하여 쓰기

한 명은 소년이고 나머지 한 명은 소녀이다.

(a boy, the other, a girl, is, one, is, and)

➡ _____

12

우리말로 쓰기

He was not only a writer but also an actor.

➡ _____

FINISH

[01-02] 올바른 문장을 골라 봅시다.

01

a. Today was the best day in his life.

b. A tiger is the fastest than a giraffe.

02

a. The young man was quite honest.

b. The coach came lately for the game.

[03-05] 밑줄 친 부분을 바르게 고쳐 문장을 다시 써 봅시다.

03

The sooner we leave, <u>the earliest</u> we will arrive.

○ _____

04

<u>Lucky</u>, she found the lost cat.

○ _____

05

They <u>do</u> send me an e-mail four hours ago.

○ _____

[06-07] 주어진 말을 바르게 배열하여 써 봅시다.

06

그 책은 영화만큼 유명하지 않다. (not, as, the movie, the book, as, is, famous)

07

너는 한국 역사에 대해 정말로 많이 알고 있다. (do, you, about Korean history, know, a lot)

[08-10] 괄호 안에서 알맞은 말을 골라 문장을 다시 써 봅시다.

08

(Few / Little) students attended the event.

○

09

Let's go to the park either by bike (and / or) on foot.

○

10

Stop talking, (and / or) everyone will fall asleep.

○

Memo

Memo

Memo

중학 필수 영단어 암기용 교재

보기만 해도 평생 남는 영어 공부법

3초 보카

철자 이미지 연상법

답답한 단어 나열 대신
철자와 뜻을 이미지로 표현해
보기만 해도 외워지는 '철자 이미지 연상법'

어휘 꿀팁 방출

지루하기만 했던 단어 암기는 가라!
숙어는 만화로 쉽고 재미있게,
유의어, 파생어 등의 어휘 TIP 제공

중요도별 수록

교과서 시험의 단어 빈출도를 분석하여
출제율이 높고 쉬운 것부터
출제율이 낮고 어려운 것까지 단계별 수록

MBC "공부가 머니"
중학 기초 영단어 추천도서!
(예비중~중1/단행본)

시작해 봐, 하루시리즈로!

#기초력_쌓고!
#공부습관_만들고!

시작은 하루 중학 국어

- 시
- 소설(개념)
- 소설(작품)
- 문법
- 비문학
- 수필

이 교재도 추천해요!

- 중학 국어 DNA 깨우기 시리즈 (비문학 독해 / 문법 / 어휘)

시작은 하루 중학 수학

- 1-1, 1-2
- 2-1, 2-2
- 3-1, 3-2

이 교재도 추천해요!

- 해결의 법칙 (개념 / 유형)
- 빅터연산

정답과 해설

중학 ★ 바탕 학습
문법 2

시작은
**하루
영어**

천재교육

정답과 해설
포인트

▶ 혼자서도 이해할 수 있는 친절한 문제 해설

▶ 영어 문장의 우리말 해석 수록

정답과 해설

이번 주에는 무엇을 공부할까? ❷
pp. 8 ~ 9

❷-1
- 01 am making
- 02 were studying
- 03 was watching
- 04 is working
- 05 are drinking
- 06 was listening

❷-2
- 01 to play
- 02 writing
- 03 to visit
- 04 reading
- 05 snowing
- 06 to cancel

❷-1 [해석]

01 나는 샌드위치를 만들고 있다.

02 우리는 매우 열심히 공부하고 있었다.

03 Logan은 TV를 보고 있었다.

04 그녀는 도서관에서 일하고 있다.

05 그 소년들은 물을 마시고 있다.

06 그 소녀는 음악을 듣고 있었다.

❷-2 [해석]

01 나는 그 개와 놀기를 원한다.

02 나는 편지 쓰기를 끝마쳤다.

03 그녀는 박물관을 방문할 것을 계획한다.

04 그 학생들은 책 읽기를 계속했다.

05 어젯밤에 다시 눈이 내리기 시작했다.

06 그 학교는 행사를 취소하기로 결정했다.

1일

현재시제와 과거시제

개념 원리 확인
p. 11

A
- 01 get
- 02 Were
- 03 goes
- 04 wasn't
- 05 started
- 06 is

B
- 01 drinks
- 02 speak
- 03 goes
- 04 wrote
- 05 wasn't

A 02 be동사 의문문은 'Be동사+주어 ~?' 형태로 나타내며 yesterday(어제)가 쓰였으므로 과거시제인 Were가 알맞다.

03 '지구는 태양 주위를 돈다.'는 불변의 진리를 나타내므로 현재시제가 알맞다.

05 역사적 사실을 나타내므로 과거시제가 알맞다.

B 01, 03 습관이나 반복되는 일을 나타내므로 현재시제가 알맞다.

02 '말보다 행동이 중요하다.'라는 격언이므로 현재시제가 알맞다.

05 ago는 과거시제와 쓴다.

A [해석]

01 나는 매일 7시에 일어난다.

02 너는 어제 바빴니?

03 지구는 태양 주위를 돈다.

04 어젯밤에 바람이 많이 불지 않았다.

05 올림픽은 아테네에서 시작됐다.

06 로마는 이탈리아의 수도이다.

정답과 해설

미래시제와 진행시제

개념 원리 확인　　　　　　　　p. 13

A 01 will　　　02 stay
　　03 was　　　04 going
　　05 painting
B 01 is washing his hands
　　02 won't walk her dog
　　03 Were they making
　　04 is going to see

A 02 미래시제 be going to 다음에는 동사원형을 쓴다.

　　04 미래시제 be going to의 부정문은 'be동사 + not+going to+동사원형'으로 나타낸다.

B 02 미래시제 will의 부정문은 'won't[will not]+동사원형'으로 나타낸다.

　　03 과거진행시제의 의문문은 'Was/Were+주어+동사원형+-ing ~?'로 나타낸다.

1일　기초 집중 연습　　　　　pp. 14~15

01 The cookies looked delicious.
02 He is throwing a tennis ball.
03 My team was winning the match.
04 I will buy a new backpack.
05 The farmers are going to pick the apples.
06 Were you riding the bike at that time?
07 It is going to be sunny.
08 Columbus discoverd America in 1492.
09 We get up at 10 on weekends.
10 Ben won't go camping with his family.

---

01 look의 과거형은 looked이다.

02, 03 진행시제는 'be동사+동사원형 -ing'로 쓴다.

04, 10 will 다음에는 동사원형을 쓴다.

05, 07 be going to 다음에는 동사원형을 쓴다.

06 과거진행시제의 의문문은 'Was/Were+주어+동사원형 -ing ~?'로 쓴다.

해석

01 쿠키들은 맛있어 보였다.

02 그는 테니스공을 던지고 있다.

03 우리 팀이 경기에서 이기고 있었다.

04 나는 새 배낭을 살 것이다.

05 농부들이 사과를 딸 것이다.

2일

can, may, will

개념 원리 확인　　　　　　　p. 17

A 01 의지　　　02 허가
　　03 미래　　　04 허가
　　05 추측　　　06 능력
B 01 is able to　02 may be
　　03 not buy　　04 may not
　　05 can't come　06 will be able to

A 01 조동사 will은 주어의 의지를 나타낸다.

　　02, 04 조동사 may와 can이 모두 '~해도 좋다'라는 허가의 의미로 쓰였다.

B 01 능력을 나타내는 can은 be able to로 바꿔 쓸 수 있다. be able to 다음에 동사원형을 쓰는 것에 유의한다.

　　03~05 조동사의 부정은 '조동사+not+동사원형'으로 나타낸다. can의 부정은 cannot[can't]이다.

　　06 '조동사+조동사'의 형태로 쓸 수 없으므로, will can은 will be able to로 쓴다.

A 해석

01 나는 그의 행동을 용서하지 않겠다.

02 너는 이 컴퓨터를 사용해도 좋다.

03 최 씨는 새집으로 이사할 것이다.

04 그녀는 가방을 여기에 놓아도 된다.

05 이번 주말은 바람이 많이 불고 추울지도 모른다.

06 Marianne은 프랑스어와 이탈리아어를 말할 수 있다.

B 해석

01 그는 자동차를 디자인할 수 있다.

02 문제가 있을지도 모른다.

03 Terry는 새 신발을 사지 않을 것이다.

04 너는 여기서 사진을 찍으면 안 된다.

05 그녀는 입장권 없이 들어갈 수 없다.

06 내 여동생은 혼자서 자전거를 탈 수 있을 것이다.

---

should, must, used to

개념 원리 확인 p. 19

A 01 운전자는 안전벨트를 매야 한다.

02 그는 무척 속상한 게 틀림없다.

03 Amy는 초콜릿 먹는 것을 아주 좋아하곤 했다.

04 그들은 운동을 해야 한다 [하는 것이 좋다].

05 내 형과 나는 집에 일찍 가야 한다.

06 그녀는 테니스 선수였다.

B 01 has to deliver **02** used to play

03 should not[shouldn't] stay

04 must be **05** used to be

06 must not[mustn't] open

A 01, 04, 05 should와 must는 '~해야 한다'는 의무를 나타낸다. must가 should보다 강한 의무를 나타낸다.

03, 06 used to는 '~하곤 했다, ~이었다'는 뜻으로 과거의 습관이나 상태를 나타낸다.

B 01
의무를 나타내는 must는 have to로 바꿔 쓸 수 있다. 주어가 3인칭 단수이므로 has to로 쓴다.

02, 05 used to 다음에는 동사원형을 쓴다.

03, 06 조동사의 부정은 '조동사+not+동사원형'으로 쓴다. must not은 '~해서는 안 된다'는 의미로 금지를 나타낸다.

B 해석

01 Jack은 오늘까지 이 상자를 배달해야 한다.

02 그녀는 피아노를 치곤 했다.

03 어린이들은 늦게까지 깨어 있으면 안 된다.

04 이 그림은 100년이 넘었음에 틀림없다.

05 그는 선생님이었다.

06 너는 이 창문을 열어서는 안 된다.

2일 기초 집중 연습 pp. 20 ~ 21

01 should not[shouldn't] give up

02 used to be a park

03 is able to fix

04 may borrow the book

05 must be expensive

06 You can take a break for a moment.

07 The weather will be warm and sunny.

08 She may not be a good leader.

09 Max used to drink milk in the morning.

10 The visitors have to take off their shoes.

01 not은 조동사 뒤에 쓴다.

05 강한 추측을 나타내는 must로 뒤에는 동사원형 be를 쓴다.

06~10 can, will, may, used to, have to 다음에는 동사원형을 쓴다.

명사 역할을 하는 to부정사

| 개념 원리 확인 | p. 23 |

A 01 to stay, 보어   02 to clean, 목적어

03 To learn, 주어   04 to buy, 목적어

05 to become, 보어

B 01 To follow the rules is important.

02 His goal is to pass the exam.

03 The students didn't want to climb the mountain.

04 To win the game was exciting.

05 My family planned to have a party on my birthday.

A 01, 05 to부정사가 be동사 뒤에 쓰여 주어를 보충 설명하는 보어 역할을 한다.

02, 04 want(원하다), decide(결정하다) 등은 to부정사를 목적어로 갖는 동사이다.

B 01, 04 '~하는 것은'이라는 의미로 주어 역할을 하는 to부정사이다. 이때 to부정사는 3인칭 단수 취급한다.

02 주어를 보충 설명하는 보어 역할을 하는 to부정사이다.

03, 05 want(원하다), plan(계획하다)은 to부정사를 목적어로 갖는 동사이다.

A 해석

01 우리의 계획은 집에 머무는 것이다.

02 그들은 그 방을 청소하기를 원한다.

03 스페인어를 배우는 것은 쉽지 않다.

04 Brian은 새 가방을 사지 않기로 결정했다.

05 그녀의 꿈은 유명한 가수가 되는 것이다.

B 해석

01 규칙을 따르는 것은 중요하다.

02 그의 목표는 시험에 통과하는 것이다.

03 학생들은 산에 오르는 것을 원하지 않았다.

04 그 경기를 이기는 것은 흥미진진했다.

05 우리 가족은 내 생일에 파티를 열 계획을 세웠다.

형용사와 부사 역할을 하는 to부정사

| 개념 원리 확인 | p. 25 |

A 01 형용사   02 부사

03 목적   04 감정의 원인

B 01 마실   02 유지하기 위해서

03 져서   04 타기 위해서

05 들어서   06 말할

B 01, 06 to부정사는 명사를 수식하는 형용사 역할을 한다.

02, 04 to부정사는 '~ 하기 위해서'라는 의미로 부사 역할을 한다.

03, 05 to부정사는 감정의 원인을 나타내는 부사 역할을 한다.

B 해석

01 그는 마실 물을 원했다.

02 나는 건강을 유지하기 위해서 매일 운동한다.

03 Sam은 경기에 져서 실망했다.

04 Julie는 기차를 타기 위해 일찍 일어났다.

05 그 팀은 그 소식을 들어서 놀랐다.

06 내 언니는 할 말이 있었다.

| **3일** 기초 집중 연습 | pp. 26~27 |

01 to watch a soccer game

02 To change the password

03 many cars to fix

04 to see stars

05 to visit the zoo

06 Joe was glad to find his dog.

07 Do you have time to help me?

08 We hope to meet a new teacher soon.

09 Katie went to the park to ride a bike.

10 My dream is to become a musician.

01, 06 to부정사가 부사 역할을 하며 감정의 원인을 나타낸다.

02 to부정사가 명사 역할을 하며 문장의 주어로 쓰였다.

03, 07 to부정사가 형용사 역할을 하며 명사를 꾸민다.

04, 09 to부정사가 부사 역할을 하며 목적을 나타낸다.

05, 10 to부정사가 명사 역할을 하며 문장의 보어로 쓰였다.

08 to부정사가 명사 역할을 하며 문장의 목적어로 쓰였다.

 4일

동명사 I

개념 원리 확인		p. 29
A 01 -ing	02 명사	
03 is	04 동명사	
05 앞		
B 01 playing	02 is	
03 talking	04 not breaking	
05 going		

B 02 동명사가 주어 역할을 할 때 단수 취급하므로 is가 알맞다.

04 동명사의 부정은 동명사인 breaking 앞에 not을 쓴다.

B 해석

01 너는 야구하는 것을 즐겼니?

02 여행하기는 내 관심사 중 하나이다.

03 그는 그의 친구들과 얘기하느라 바빴다.

04 우리의 희망은 규칙을 위반하지 않는 것이다.

05 우리는 제주도에 가는 것에 대해 이야기했다.

동명사와 to부정사

개념 원리 확인		p. 31
A 01 to go	02 to lock	
03 turning	04 to bake	
05 making	06 watching	
B 01 to say	02 eating	
03 to turn	04 to wear	
05 meeting	06 snowing [to snow]	

A 02 '~할 것을 잊지 않다'라는 의미가 자연스러우므로 to부정사를 목적어로 사용하는 것이 알맞다.

06 last week(지난주)로 보아 '~한 것을 기억하다'라는 의미이므로 동명사를 목적어로 사용하는 것이 알맞다.

B 01, 02 'stop+to부정사'는 '~하기 위해 멈추다', 'stop+동명사'는 '~하는 것을 멈추다[그만두다]'라는 의미이다.

06 start(시작하다)는 목적어로 동명사와 to부정사를 모두 사용하며 의미가 동일하다.

A 해석

01 나는 박물관에 가기로 결정했다.

02 나중에 문 잠그는 것을 잊지 마라.

03 음악 소리를 줄여주시겠어요?

04 Jenny는 쿠키를 굽길 원한다.

05 그는 새 친구들을 사귀는 것을 결코 포기하지 않았다.

06 소윤이는 지난주에 이 영화를 본 것을 기억했다.

4일 기초 집중 연습	pp. 32~33
01 She stopped to look for her wallet.	
02 Ted finished cleaning his room.	
03 He forgot walking the dog.	
04 I gave up becoming a writer.	
05 We remembered to send the flowers.	

06 Doing your best is always important.

07 Thank you for not saying anything.

08 I will learn to swim this summer.

09 Louis started playing the violin.

10 Her habit was drinking a lot of water.

01 stop+동명사: ~하는 것을 멈추다, stop+to부정사: ~하기 위해 멈추다

02, 04 finish와 give up은 동명사를 목적어로 갖는다.

03 forget+to부정사: ~할 것을 잊다, forget+동명사: ~한 것을 잊다

05 remember+동명사: ~한 것을 기억하다, remember+to부정사: ~할 것을 기억하다

06 동명사가 주어가 되도록 배열한다.

07 전치사 다음에는 동명사를 쓴다.

08 to부정사가 learn의 목적어가 되도록 배열한다.

09 동명사가 started의 목적어가 되도록 배열한다.

10 동명사가 보어가 되도록 배열한다.

5일

의문사+to부정사

개념 원리 확인 p. 35

A **01** where to go, 어디에 갈지

02 when to leave, 언제 떠날지

03 how to fly, 날리는 방법

04 what to say, 무엇을 말할지

05 when to start, 언제 시작할지

B **01** They didn't tell us when to arrive.

02 The problem is what to wear tomorrow.

03 My brother learned how to drive a car.

04 Do you know where to put the vase?

05 Will you show me how to make a sandwich?

A **01~05** '의문사+to부정사'는 문장에서 명사 역할을 한다.

B **01~05** '의문사+to부정사'가 명사 역할을 하도록 문장을 완성한다.

A 해석

01 Billy는 어디에 갈지 결정하지 못했다.

02 우리는 언제 떠날지 모른다.

03 너는 내게 연 날리는 방법을 가르쳐 줄 수 있니?

04 나는 회의에서 무슨 말을 할지 몰랐다.

05 영화를 언제 시작할지 내게 알려줘.

B 해석

01 그들은 우리에게 언제 도착할지 말하지 않았다.

02 문제는 내일 무엇을 입을지이다.

03 내 남동생은 운전하는 방법을 배웠다.

04 너는 꽃병을 어디에 놓을지 아니?

05 내게 샌드위치를 만드는 방법을 보여줄래?

---

too ~ to부정사와 enough to부정사

개념 원리 확인 p. 37

A **01** too **02** too short

03 so **04** too heavy to lift

05 warm enough **06** couldn't

B **01** The soup was too cold to eat.

02 Matthew got up early enough to see the sunrise.

03 He was so smart that he could pass the test.

04 Emma is so sleepy that she can't read the book.

A **01, 02, 04** '~하기에 너무 …한/하게'라는 뜻으로 'too+형용사/부사+to부정사' 형태가 알맞다.

05 '~할 정도로 충분히 …한/하게'라는 뜻으로 '형용사/부사+enough+to부정사' 형태가 알맞다.

B **03** 주절의 시제가 과거일 때는 can 대신에 could를 쓴다.

A 해석

01 나는 너무 슬퍼서 한 마디도 할 수 없다.

02 Nick은 나무에 닿기에 너무 키가 작았다.

03 Carol은 매우 열심히 연습해서 이길 수 있었다.

04 이 상자는 들어 올리기에 너무 무겁다.

05 물은 마실 정도로 충분히 따뜻했다.

06 수빈이는 너무 피곤해서 파티에 갈 수 없었다.

B 해석

01 그 수프는 먹기에 너무 차가웠다.

02 Matthew는 해돋이를 볼 정도로 충분히 일찍 일어났다.

03 그는 매우 똑똑해서 시험에 합격할 수 있었다.

04 Emma는 너무 졸려서 책을 읽을 수 없다.

5일 기초 집중 연습 | pp. 38~39

01 too full to eat

02 how to make a pie

03 fast enough to catch

04 when to return the book

05 where to park her car

06 I don't know what to write.

07 The problem was too difficult to solve.

08 Do you know where to buy the tickets?

09 Sue was so brave that she could touch the lion.

10 The shirt is so small that I can't wear it.

01, 07 too ~ to부정사 구문을 쓴다.

02, 04, 05 '의문사+to부정사' 형태로 쓴다.

03 enough to부정사 구문을 쓴다.

06, 08 '의문사+to부정사' 구문이 되도록 배열한다.

09 'so+형용사+that+주어+could' 구문이 되도록 배열한다.

10 'so+형용사+that+주어+can't' 구문이 되도록 배열한다.

특강 | 창의·융합·코딩 | pp. 42~45

A **1** how, to **2** Can, must[should]

3 to, play

B **1** Brian may not have a toothache.

2 My sister is so young that she can't drive a car.

3 The boys were eating some ice cream.

4 The man was so hungry that he could eat the cake.

5 Ashley won't[will not] play computer games.

C **1** goes

2 The Korean War broke out in 1950.

3 Is, practicing **4** must

5 used, to **6** to get

7 We look forward to seeing you soon.

8 People kept asking me questions.

9 choose, want, hope, learn

10 to go **11** to, eat

12 too sick

A **1** '의문사+to부정사' 구문이 되어야 하므로 how to가 알맞다.

2 허락의 Can과 금지의 must[should]의 부정이 알맞다.

3 want는 목적어로 to부정사를 갖는 동사이다.

B **1, 5** 조동사의 부정은 조동사 뒤에 not을 쓴다.

2 too ~ to부정사는 'so+형용사+that+주어+can't'로 쓴다.

3 과거진행은 'was/were+동사원형-ing'이다.

4 enough to부정사는 'so+형용사+that+주어+can'으로 바꿔 쓸 수 있다. 과거시제이므로 could로 쓴다.

C **1** 습관이나 반복되는 일은 현재시제로 쓴다.

2 역사적 사실은 과거시제로 쓴다.

3 현재진행 의문문은 'Be동사+주어+동사원형-ing ~?'이다.

4 강한 추측을 나타낼 때는 must를 쓸 수 있다.

5 과거의 상태를 나타낼 때는 used to를 쓴다.

정답과 해설

6 decide는 목적어로 to부정사를 갖는 동사이다.

7 look forward to+동명사: ~하기를 기대하다

8 keep은 동명사를 목적어로 갖는 동사이다.

10 '~할 것을 기억하다'는 'remember+to부정사'로 쓴다.

11 what to eat: 무엇을 먹을지

12 too ~ to부정사는 '~하기에 너무 …한/하게'의 뜻이다.

B 해석

1 Brian은 치통이 없을지도 모른다.

2 내 여동생은 너무 어려서 운전을 할 수 없다.

3 소년들이 아이스크림을 먹고 있었다.

4 그 남자는 매우 배가 고파서 케이크를 먹을 수 있었다.

5 Ashley는 컴퓨터 게임을 하지 않을 것이다.

C 해석

2 한국 전쟁은 1950년에 발발했다.

3 그 소년은 연설을 연습하고 있니?

6 운전자는 휴식을 취하기로 결정했다.

7 우리는 너를 곧 만나기를 기대한다.

12 Jason은 일하러 가기에 너무 아팠다.

1주 누구나 100점 테스트 pp. 46 ~ 47

01 b **02** b

03 He used to be a teacher.

04 Our hope is not breaking the rules.

05 The water was warm enough to drink.

06 Jack has to deliver this box.

07 Joe was glad to hear the news.

08 goes, Sam goes to the park on Sundays.

09 making, He never gave up making new friends.

10 is, Traveling is one of my interests.

01 역사적 사실을 나타내므로 starts를 과거시제인 started로 써야 한다.

02 '조동사+조동사'의 형태로 쓸 수 없으므로, will can은 will be able to로 써야 한다.

03 used to 뒤에는 동사원형이 오므로 used to be로 쓴다.

04 동명사의 부정은 'not+동사원형 -ing'의 형태이다.

05 '마실 정도로 충분히 따뜻한'이라는 뜻으로 warm enough가 알맞다.

06 조동사 has to 다음에 동사원형이 오는 것에 유의한다.

07 to부정사가 부사 역할을 하며 감정의 원인을 나타낸다.

08 습관이나 반복되는 일을 나타내므로 현재시제가 알맞다.

09 give up은 동명사를 목적어로 쓰는 동사이다.

10 동명사가 주어 역할을 할 때 단수 취급하므로 is가 알맞다.

2주

이번 주에는 무엇을 공부할까? ❷ pp. 50 ~ 51

❷-1 **01** who **02** which
03 which **04** whose
05 whose **06** that

❷-2 **01** 주격 보어 **02** 주격 보어
03 주격 보어 **04** 목적격 보어
05 목적격 보어 **06** 목적격 보어

❷-1 해석

01 너는 모자를 쓴 소년을 아니?

02 거북은 천천히 움직이는 동물이다.

03 Ted는 내가 만든 지갑을 잃어버렸다.

04 Jane은 이름이 Tom인 소년을 안다.

05 나는 머리카락이 노란 인형이 있다.

06 내가 어제 산 책은 흥미로웠다.

❷-2 해석

01 나의 취미는 요리하기이다.

02 Thomas는 똑똑한 학생이다.

03 나의 엄마는 과학자이셨다.

04 사람들은 그를 Bill이라고 부른다.

05 음악은 나를 행복하게 한다.

06 나는 네가 나를 도와주기를 원한다.

주격·소유격 관계대명사

개념 원리 **확인**   p. 53

A 01 the girl   02 The boy
   03 a house   04 an animal
   05 The oranges   06 a brother
B 01 whose   02 that
   03 whose   04 who
   05 whose   06 which

A 01 who는 주격 관계대명사로 the girl이 선행사이다.

   02 whose는 소유격 관계대명사로 The boy가 선행사이다.

   03 whose는 소유격 관계대명사로 a house가 선행사이다.

   04 which는 주격 관계대명사로 an animal이 선행사이다.

   05 that은 주격 관계대명사로 The oranges가 선행사이다.

   06 that은 주격 관계대명사로 a brother이 선행사이다.

B 01, 03, 05 관계대명사 바로 다음에 명사가 쓰였으므로 소유격 관계대명사가 알맞다.

04 선행사가 사람이므로 주격 관계대명사 who가 알맞다.

A 해석

   01 우리는 개를 산책시키고 있는 소녀를 본다.

   02 머리카락이 곱슬인 소년은 내 사촌이다.

   03 나는 지붕이 초록색인 집에 살았다.

   04 코알라는 호주에 사는 동물이다.

   05 탁자 위에 있는 오렌지는 달콤하다.

   06 나는 사진 찍기를 좋아하는 남동생이 있다.

B 해석

   01 나는 남동생이 소방관인 여자를 만났다.

   02 우리는 건강에 좋은 음식을 먹어야 한다.

   03 그녀는 표지가 파란색인 책이 있다.

   04 나는 3개 국어를 하는 사람을 안다.

   05 너는 취미가 수영하기인 친구가 있니?

   06 민호는 그의 가방에 있던 선글라스를 내게 주었다.

목적격 관계대명사와 생략

개념 원리 **확인**   p. 55

A 01 d   02 a
   03 f   04 b
   05 e   06 c
B 01 you 앞   02 I 앞
   03 I 앞   04 she 앞
   05 my 앞   06 my 앞

A 01 the cake를 선행사로 하는 목적격 관계대명사가 쓰인 것 중 의미가 자연스러운 d가 알맞다.

정답과 해설

03 that은 the man을 선행사로 하는 목적격 관계대명사이며, the man이 문장의 주어이므로 be동사의 단수형이 쓰인 것 중 의미가 자연스러운 f가 알맞다.

06 선행사 the soup 다음에 목적격 관계대명사 which [that]가 생략되었다. The soup이 문장의 주어이므로 be 동사의 단수형이 쓰인 것 중 의미가 자연스러운 c가 알맞다.

B 01, 03, 06 선행사(사람) 뒤에 목적격 관계대명사 whom [that]이 생략되었다.

02, 04, 05 선행사(사물) 뒤에 목적격 관계대명사 which [that]가 생략되었다.

A 해석

01 그녀는 내가 구운 케이크를 좋아했다.

02 소미는 내가 신뢰하는 가장 친한 친구이다.

03 내가 상점에서 본 남자는 Amy의 아버지셨다.

04 그는 찾고 있던 가방을 발견했다.

05 내가 공원에서 만난 사람들은 무척 친절했다.

06 우리가 먹었던 수프는 짰다.

B 해석

01 네가 학교에서 만났던 그 소년은 어디에 있니?

02 내가 오스트리아에서 찍은 사진들이다.

03 내가 좋아하는 영어 선생님은 캐나다 출신이시다.

04 그녀는 지난주에 그녀가 고장 낸 자전거를 고쳤니?

05 나는 내가 가장 좋아하는 작가가 쓴 책들을 살 것이다.

06 우리는 아버지와 함께 일했던 남자를 기억한다.

1일 기초 집중 연습   pp. 56~57

01 The tomatoes which [that] grew on the farm were fresh.

02 He has a dog which likes to play with a ball.

03 Show me the bag whose [of which] color is red, please.

---

04 I couldn't find my umbrella which [that] I lost at the station. 또는 I couldn't find my umbrella I lost at the station.

05 The actor who(m) [that] we met at the theater is very famous. 또는 The actor we met at the theater is very famous.

06 The stories that I heard were interesting.

07 A giraffe is an animal which has a long neck.

08 Joan is the artist I want to meet.

09 The spider whose legs were long scared me.

10 Do you know the painter who drew this picture?

01 선행사가 The tomatoes로 사물이므로 관계대명사 which 나 that이 알맞다.

02 관계대명사절의 동사는 선행사 a dog에 수를 일치시켜야 하므로 likes가 알맞다.

03 소유격 관계대명사가 whose나 of which가 알맞다.

04 선행사 my umbrella는 사물이므로, 목적격 관계대명사는 which나 that으로 쓰거나 생략할 수 있다.

05 목적격 관계대명사가 와야 하는데, 선행사가 The actor로 사람이므로 who(m), that을 쓰거나 생략할 수 있다.

06~10 선행사 다음에 관계대명사가 오도록 배열한다. 목적격 관계대명사는 생략할 수 있음에 유의한다.

해석

01 그 농장에서 자란 토마토는 신선했다.

02 그는 공을 가지고 놀기 좋아하는 개가 있다.

03 색깔이 빨간 가방을 제게 보여주세요.

04 나는 역에서 잃어버린 내 우산을 찾을 수 없었다.

05 우리가 극장에서 만났던 배우는 매우 유명하다.

2일

현재완료

개념 원리 확인   p. 59

A 01 tried   02 played
   03 walked   04 cut
   05 become   06 taken
   07 made   08 given
   09 done   10 left
B 01 learned   02 hasn't
   03 have not been   04 Has, written
   05 haven't read   06 have lost
   07 Have, haven't

A 01 동사 try(시도하다)는 '자음+-y' 형태로 과거형-과거분사형
은 tried-tried이다.

   04 동사 cut(자르다)의 과거형-과거분사형은 cut-cut이다.

   05 동사 become(~이 되다)의 과거형-과거분사형은
became-become이다.

B 04 현재완료 의문문으로 주어가 3인칭 단수이므로 'Has+주
어+과거분사 ~?' 형태로 쓰며, write(쓰다)의 과거분사는
written이다.

   05 현재완료 부정문의 어순은 'have+not+과거분사'이며
read(읽다)의 과거분사는 read이다.

   06 주어가 the players(선수들)이므로 have가 알맞으며,
lose(패하다)의 과거분사는 lost이다.

A 해석
   01 노력하다, 애쓰다   02 놀다, 하다
   03 걷다   04 자르다
   05 ~이 되다   06 가지고 가다
   07 만들다   08 주다
   09 하다   10 떠나다
B 해석
   01 그는 2018년부터 중국어를 배우고 있다.
   02 Daniel은 그 영화를 본 적이 없다.

   03 우리는 시애틀에 가본 적이 없다.

   04 그녀가 그 편지를 썼니?

   05 그 여자들은 한 시간 동안 책을 읽고 있지 않다.

   06 선수들은 지난달부터 경기에서 지고 있다.

   07 너는 점심을 먹었니? – 아니, 나는 먹지 않았어.

현재완료의 용법

개념 원리 확인   p. 61

A 01 계속   02 결과
   03 완료   04 결과
   05 완료
B 01 has already washed
   02 Have you ever met
   03 has never ridden
   04 have known

A 02 '커플이 바르셀로나로 떠나버렸다.'는 의미로 떠나고 여기에
없다는 결과를 나타낸다.

   03, 05 과거에 시작한 일이 현재 끝난 상태를 나타내는 완료로
already(이미), yet(아직) 등의 표현과 함께 쓴다.

B 02 현재완료의 경험을 묻는 의문문은 'Have/Has+주어+
ever+과거분사 ~?' 형태로 나타낸다.

   03 'have/has+never+과거분사'는 '… (한 적이) 없다'라
는 의미로 현재완료의 경험을 나타낸다.

   04 주어가 복수이므로 'have+과거분사'로 쓴다. know의 과
거분사는 known이다.

A 해석
   01 그 아기는 6시간 동안 잠을 자고 있다.

   02 그 커플은 바르셀로나로 떠나버렸다.

   03 Kristin은 이미 그 소식을 들었다.

   04 미나는 그녀의 모든 교과서를 내게 주었다.

   05 그녀는 아기의 이름을 아직 정하지 못했다.

정답과 해설

01 Has this egg gone bad?

02 I have not [haven't] used this computer since 2019.

03 My dog has been sick.

04 Have they just sold the new jacket?

05 Emma has not [hasn't] finished her school project.

06 He has studied for two hours.

07 Janet has gone to Paris.

08 I haven't played the violin since last year.

09 Denny has just arrived at the station.

10 Liam has never watched the movie.

01~10 현재완료의 긍정문: 주어+have/has+과거분사 ~.
현재완료의 의문문: Have/Has+주어+과거분사 ~?
현재완료의 부정문: 주어+have/has+not+과거분사 ~.

3일

동사+to부정사

개념 원리 확인   p. 65

A 01 to buy   02 to learn

03 to see   04 to become

05 to build

B 01 hope to win

02 decided to change

03 promised to eat

04 wanted to make

A 01~05 to부정사를 목적어로 갖는 동사이므로 빈칸에는 to부정사가 와야 한다.

B 01 현재시제를 나타내므로 동사의 현재형을 사용하며, 동사 뒤에 오는 목적어를 'to+동사원형' 형태로 쓴다.

02~04 과거시제를 나타내므로 동사의 과거형을 사용하며, 동사 뒤에 오는 목적어를 'to+동사원형' 형태로 쓴다.

동사+목적어+to부정사

개념 원리 확인   p. 67

A 01 to wear   02 to clean

03 to explore   04 to smoke

05 to be

B 01 advised him to fix

02 asked us to finish

03 want us to explain

04 told his cousin to send

05 expect me to do

A 01~05 to부정사를 목적격 보어로 사용하는 동사이므로 'to+동사원형'의 형태로 써야 한다.

B 01~05 '동사+목적어+to부정사'의 형태가 되도록 배열한다.

A 해석

01 나는 그에게 따뜻한 옷을 입으라고 충고했다.

02 그는 그의 남동생에게 정원을 청소해 달라고 요청했다.

03 홍 선생님은 우리에게 새로운 곳을 탐험하라고 말씀하셨다.

04 우리는 사람들이 건물 안에서 흡연하도록 허락하지 않는다.

05 선생님은 학생들이 정직하기를 원했다.

01 He doesn't allow his son to go out at night.

02 My parents and I agreed to raise the puppy.

03 She promised to return the book.

04 Does Eric ask you to bring snacks?

05 They planned to travel to Europe.

06 They told us to use the dictionary.

07 Children want to learn new things.

08 Jay asked me to open the window.

09 Paul advised her to drink warm water.

10 We expect to visit New York next year.

01, 04 'allow, ask+목적어+to부정사' 형태가 되어야 한다.

02, 03, 05 agree, promise, plan은 to부정사를 목적어로 쓰는 동사이다.

06~10 '동사+to부정사'와 '동사+목적어+to부정사' 형태에 유의하여 배열한다.

해석

01 그는 아들이 밤에 나가도록 허락하지 않는다.

02 내 부모님과 나는 강아지를 키우기로 동의했다.

03 그녀는 책을 반납하기로 약속했다.

04 Eric은 네게 간식을 가져와 달라고 요청하니?

05 그들은 유럽을 여행하는 것을 계획했다.

4일

동사+명사/형용사

개념 원리 확인	p. 71

A	01 a dentist	02 sweet and sour
	03 terrible	04 angry
	05 great	06 ice hockey
B	01 sad	02 wonderful
	03 good	04 quiet
	05 friendly	06 warm

A **01, 04** become과 get은 '~가 되다'라는 의미로 뒤에 오는 명사나 형용사가 주어의 성질이나 상태를 설명한다.

02, 03, 05 taste(~한 맛이 나다), smell(~한 냄새가 나다), sound(~하게 들리다) 등의 감각동사는 뒤에 주격 보어로 형용사가 온다.

B **01** 감각동사 feel(~한 느낌이 나다) 뒤에는 형용사가 온다. sad(슬픈)는 형용사, sadly(슬프게)는 부사이다.

02 감각동사 taste(~ 한 맛이 나다) 뒤에는 형용사가 온다. wonderful(훌륭한)은 형용사, wonderfully(훌륭하게)는 부사이다.

03 감각동사 look(~하게 보이다) 다음에는 형용사 good(좋은)이 알맞다. well은 '잘, 좋게'라는 의미의 부사이다.

A **해석**

01 Jones 박사는 언제 치과 의사가 되었니?

02 이 레몬 파이는 달고 신맛이 난다.

03 그 양말은 끔찍한 냄새가 났다.

04 내 여동생은 내게 화가 났다.

05 그 가수의 새 노래는 멋지게 들렸다.

06 캐나다에서 가장 인기 있는 운동은 아이스하키이다.

B **해석**

01 너는 종종 슬프니?

02 그 파스타는 훌륭한 맛이 났다.

03 그는 오늘 좋아 보인다.

04 학생들은 수업 시간 동안 조용했다.

05 그녀는 다정한 사람이다.

06 날씨가 따뜻해진다.

동사+목적어+형용사

개념 원리 확인	p. 73

A	01 upset	02 healthy
	03 difficult	04 famous
	05 cold	06 clean
B	01 open	02 heavy
	03 made	04 empty
	05 brown	

정답과 해설

A 01~06 형용사가 목적격 보어로 사용된 문장으로, 목적격 보어는 목적어의 상태나 성질을 나타낸다.

B 01, 02, 04, 05 '동사＋목적어＋형용사'의 형태가 되어야 하므로, 빈칸에 어울리는 형용사를 찾아 쓴다.

03 '~를 …한 상태가 되게 만들다'는 의미의 make가 알맞다.

A 해석

01 네 아빠를 화나게 만들지 마라.

02 운동은 우리 몸을 건강하게 유지해준다.

03 우리는 그 수학 문제가 어렵다는 것을 알았다.

04 새 노래는 그 밴드를 유명하게 만들었다.

05 바람은 날씨를 추워지게 할 것이다.

06 Kevin과 그의 친구들은 그 방을 깨끗하게 두었다.

04 'keep＋목적어＋형용사' 형태가 되어야 하므로, 형용사인 healthy로 써야 한다.

05 get 뒤에 형용사가 오면 '~가 되다'라는 의미이다. 형용사인 popular로 써야 한다.

06~10 '동사＋명사／형용사'와 '동사＋목적어＋형용사' 형태에 유의하여 배열한다.

해석

01 커튼은 방을 따뜻하게 만들었다.

02 어린이들은 그 시험이 쉽다는 것을 알았다.

03 선생님은 수업 동안 목마름을 느끼지 않았다.

04 수영은 내 형을 건강하게 유지시킨다.

05 축구 경기는 인기 있어졌다.

4일 기초 집중 연습　　pp. 74~75

01 The curtains made the room warm.
02 The children found the test easy.
03 The teacher didn't feel thirsty during the class.
04 Swimming keeps my brother healthy.
05 The soccer game got popular.
06 The boys are baseball players.
07 The sky suddenly became dark.
08 The roses smell very sweet.
09 My sister didn't leave the door open.
10 The seat belt will keep you safe.

01 'make＋목적어＋형용사' 형태가 되어야 하므로, 형용사인 warm으로 써야 한다.

02 'find＋목적어＋형용사' 형태가 되어야 하므로, 형용사인 easy로 써야 한다.

03 감각동사 feel 다음에는 형용사가 오므로, thirsty로 써야 한다.

5일

동사＋목적어＋명사

개념 원리 확인　　p. 77

A 01 chose　　02 make
03 named　　04 call

B 01 call him the tree doctor
02 made him a star
03 named our team the Dreams
04 chose a dinosaur their team mascot

A 02 our town(우리 마을)을 a better place(더 좋은 곳)로 만들자는 의미이므로 make(~를 …으로 만들다)가 알맞다.

04 New York City를 the Big Apple이라고 부른다는 의미이므로 call(~를 …라고 부르다)이 알맞다.

B 01~04 '동사＋목적어＋목적격 보어(명사)'의 형태가 되도록 배열한다.

사역동사＋목적어＋동사원형

개념 원리 확인   p.79

A 01 let him use
   02 make the boys cry
   03 had me water
   04 made us clean
   05 let the kids swim
   06 had my brother go

B 01 him   02 ride
   03 join   04 move

A 01~06 make, have, let은 사역동사로 '~가 …하게 하다/허락하다'라는 의미이며 목적격 보어로 동사원형을 쓴다.

B 01 사역동사 let은 '~가 …하게 허락하다'라는 의미로 쓰였으므로 밑줄 친 부분은 목적어 him이 알맞다.

   02~04 밑줄 친 부분은 목적격 보어이며, 사역동사는 동사원형을 목적격 보어로 쓰므로 동사원형이 알맞다.

A 해석

01 Lucy는 그가 그녀의 컴퓨터를 사용하게 허락했다.

02 슬픈 영화는 소년들을 울게 한다.

03 엄마는 내가 식물에 물을 주게 하셨다.

04 선생님은 우리가 미술실을 청소하게 하셨다.

05 David는 아이들이 수영장에서 수영하게 허락했다.

06 나는 내 남동생이 치과에 가게 했다.

5일 기초 집중 연습   pp. 80~81

01 The teacher made us study.
02 We call him a hero.
03 My parents let me bring friends home.
04 The director made her a famous actress.
05 The coach had the players sit on the grass.
06 People call Bach the father of music.
07 My sister had me walk the dog.
08 They named their new baby Ryan.
09 Let me go out with my friends
10 The members chose Ted the leader.

01 'make＋목적어＋동사원형'의 형태이므로 study로 써야 한다.

02 'call＋목적어＋명사'의 형태이므로 him이 되어야 한다.

03 'let＋목적어＋동사원형'의 형태이므로 me bring이 되어야 한다.

04 'make＋목적어＋명사'의 형태이므로 목적격인 her로 써야 한다.

05 'have＋목적어＋동사원형'의 형태이므로 sit으로 써야 한다.

06~10 '동사＋목적어＋목적격 보어' 문장에서 목적격 보어의 형태에 유의하여 배열한다.

해석

01 선생님은 우리를 공부하게 하셨다.

02 우리는 그를 영웅이라고 부른다.

03 내 부모님은 내가 친구들을 집에 데려오게 허락하셨다.

04 감독은 그녀를 유명한 여배우로 만들었다.

05 감독은 선수들을 잔디에 앉게 했다.

특강 창의·융합·코딩   pp. 84~87

A 1 which [that], to, wash
   2 seen, to, buy
   3 to, go, go

B 1 make   2 whose
   3 agree   4 eaten
   5 interesting   6 named

C 1 which
   2 I have a sister whose hair is long.
   3 have, learned
   4 whom

정답과 해설

5 has, just, finished

6 to, wait

7 I have not [haven't] read the book for two hours.

8 sweet, good

9 to, speak

10 People call him Mr. Brain.

11 The teacher made us keep a diary.

12 나는 그 문제가 쉽다는 것을 알았다.

A 1 these dirty dishes를 선행사로 하는 관계대명사 which [that]가 알맞다. plan은 to부정사를 목적어로 갖는 동사이다.

2 현재완료의 경험을 나타내는 문장으로 부정은 'have not [haven't]+과거분사'로 쓴다. ask는 to부정사를 목적격 보어로 갖는 동사이다.

3 want는 to부정사를 목적어로 갖는 동사이다. 사역동사 let은 동사원형을 목적격 보어로 갖는 동사이다.

B 2 선행사는 a friend이며, 뒤에 명사가 쓰였으므로 소유격 관계대명사 whose가 알맞다.

4 과거의 일이 현재까지 영향을 주고 있으므로 현재완료 'have+과거분사'가 알맞다.

5 'find+목적어+형용사'가 되어야 하므로 interesting이 알맞다.

6 'name+목적어+명사'는 '~를 …라고 이름 짓다'라는 의미이다.

C 1 The watch가 선행사이며 사물이므로 주격 관계대명사 which가 알맞다.

2 '선행사+소유격 관계대명사+명사'의 어순으로 배열한다.

3 현재완료 시제이므로 have learned를 써야 한다.

4 선행사가 사람이므로 목적격 관계대명사 whom이 알맞다.

5 지금 막 끝낸 것이므로 현재완료를 써야 한다. just는 보통 have/has와 과거분사 사이에 쓴다.

6 'ask+목적어+to부정사' 형태로 to wait이 알맞다.

7 현재완료의 부정은 'have+not+과거분사'이다.

8 taste와 sound는 감각동사로 뒤에 형용사를 쓴다.

9 'advise+목적어+to부정사' 형태로 to speak를 쓴다.

10 'call+목적어+명사'의 형태에 유의하여 배열한다.

11 'make+목적어+동사원형'의 형태가 되어야 하므로 kept는 keep이 되어야 한다.

12 'find+목적어+형용사'는 '~가 …하다는 것을 알다'라는 의미이다.

C 해석

1 책상 위에 있는 시계는 내 것이다.

4 나는 내가 미술관에서 만난 소녀를 기억한다.

6 그들은 나에게 10분 동안 기다려 달라고 요청했다.

7 나는 2시간째 그 책을 읽고 있지 않다.

8 • 사과는 단맛이 난다.
  • 그의 목소리는 좋다.

2주 누구나 100점 테스트   pp. 88 ~ 89

01 b   02 b

03 Daniel hasn't [has not] seen the movie.

04 We found the math question difficult.

05 Lucy let him wash the dishes.

06 The soup that we had was salty.

07 We named our daughter Bella.

08 who, We see the girl who is walking her dogs.

09 to see, He expects to see snow.

10 clean, Teacher made us clean the art room.

---

01 a woman이 선행사이며, 뒤에 명사가 쓰였으므로 who는 소유격 관계대명사 whose가 되어야 한다.

02 감각동사 look(~하게 보이다) 다음에는 형용사 good(좋은)이 알맞다. well은 '잘, 좋게'라는 의미의 부사이다.

03 주어가 3인칭 단수이므로 'has+not+과거분사'가 알맞다.

04 '동사+목적어+형용사' 형태의 문장이므로 형용사 difficult가 알맞다.

05 let은 사역동사로 목적격 보어에 동사원형을 쓰므로 wash가 알맞다.

06 선행사는 the soup이며 that은 목적격 관계대명사이다.

07 '동사+목적어+명사' 어순으로 문장을 배열한다.

08 who는 주격 관계대명사로 the girl이 선행사이다.

09 expect는 to부정사를 목적어로 갖는 동사이다.

10 make는 사역동사로 목적격 보어로 동사원형을 쓴다.

이번 주에는 무엇을 공부할까? ❷   pp. 92~93

❷-1
01 수동태 문장	02 능동태 문장
03 수동태 문장	04 능동태 문장
05 수동태 문장	06 능동태 문장

❷-2
01 sleeping, slept	02 breaking, broken
03 taking, taken	04 writing, written
05 surprising, surprised	
06 amazing, amazed	

❷-1 해석

01 그 사진은 한 예술가에 의해 찍혔다.

02 그들은 간식과 음료를 샀다.

03 그 카드는 내 사촌에 의해 쓰여졌다.

04 과학은 내가 가장 좋아하는 과목이다.

05 파티는 학생들에 의해 열렸다.

06 나뭇잎들은 빨갛고 노랗게 변했다.

❷-2 해석

01 자다	02 깨다
03 가지고 가다	04 쓰다
05 놀라게 하다	06 몹시 놀라게 하다

수동태

개념 원리 확인   p. 95

A
01 the music	02 was played
03 the man	
04 was played by the man	

B
01 is set	02 was fixed
03 are cleaned	04 will be visited

B 01, 03 능동태 문장이 현재시제이므로 수동태의 be동사도 현재시제로 쓴다.

02 능동태 문장이 과거시제이므로 수동태의 be동사도 과거시제로 쓴다. 주어가 단수이므로 was가 알맞다.

04 미래시제의 수동태는 'will+be+과거분사' 형태로 쓴다.

B 해석

01 John은 저녁상을 차린다. ⇨ 저녁상은 John에 의해 차려진다.

02 그녀가 자전거를 고쳤다. ⇨ 자전거는 그녀에 의해 고쳐졌다.

03 나는 주말마다 방들을 청소한다. ⇨ 방들은 나에 의해 주말마다 청소된다.

04 반 친구들은 나를 찾아올 것이다. ⇨ 나는 반 친구들에 의해 찾아와질 것이다.

수동태의 부정문과 의문문

개념 원리 확인   p. 97

A
01 found	02 was not taken
03 bought	04 Were
05 was not painted	06 was not carried

B
01 was not written	
02 Was the machine made	
03 are not used	
04 Are the plants watered	

정답과 해설

A **01, 03** 수동태의 의문문은 'Be동사+주어+과거분사 ~?' 어순으로 쓴다.

02, 05, 06 수동태의 부정문은 'be동사+not+과거분사' 어순으로 쓴다.

04 주어가 복수인 the apple trees(사과나무들)이므로 be동사는 Were가 알맞다.

B **01~04** 수동태의 부정문은 'be동사+not+과거분사', 의문문은 'Be동사+주어+과거분사 ~?' 형태로 쓴다.

A 해석

01 네 연필은 Leon에 의해 찾아졌니?

02 이 사진은 그에 의해 찍히지 않았다.

03 그 의자들은 네 아버지에 의해 구매되었니?

04 그 사과나무들은 Cooper 씨에 의해 베어졌니?

05 그 집은 Nick에 의해 칠해지지 않았다.

06 새끼 캥거루는 어미에 의해 길러지지 않았다.

1일 기초 집중 연습 ━━ pp. 98 ~ 99

01 was broken by Chris

02 wasn't [was not] seen by the women

03 will be designed by Terry

04 this painting drawn by Pablo Picasso

05 are washed by my brother

06 Many bears weren't [were not] killed by hunters.

07 Are those flowers planted by the young man?

08 This old map wasn't [was not] found by the students.

09 Was the restaurant visited by many people?

10 The country isn't [is not] ruled by the king.

01 주어가 단수이고 과거시제이므로 'was+과거분사'로 쓴다.

02, 06, 08, 10 수동태의 부정문은 'be동사+not+과거분사'로 쓴다.

---

03 미래시제이므로 will be designed가 알맞다.

04, 07, 09 수동태의 의문문은 'Be동사+주어+과거분사 ~?'의 형태가 알맞다.

05 주어가 복수이고 현재시제이므로 are washed로 쓴다.

해석

01 유리는 Chris에 의해 깨졌다.

02 그 차 사고는 여자들에 의해 목격되지 않았다.

03 그 집은 Terry에 의해 설계될 것이다.

04 이 그림은 Pablo Picasso에 의해 그려졌니?

05 옷은 내 남동생에 의해 주말마다 빨래된다.

06 많은 곰은 사냥꾼들에 의해 죽임을 당하지 않았다.

07 저 꽃들은 젊은 남자에 의해 심어지니?

08 이 오래된 지도는 그 학생들에 의해 찾아지지 않았다.

09 그 식당은 많은 사람들에 의해 방문되었니?

10 그 나라는 왕에 의해 다스려지지 않는다.

2일

현재분사와 과거분사

개념 원리 확인 ━━ p. 101

A **01** sleeping **02** running

03 baked **04** taken

05 wearing **06** broken

B **01** singing **02** filled

03 waiting **04** built

05 painted **06** talking

A **01** '자고 있는 아기'라는 능동의 현재분사 sleeping이 알맞다.

03 '구워진 옥수수'라는 수동의 과거분사 baked가 알맞다.

04 '정원에서 찍힌 사진'이라는 수동의 과거분사 taken이 알맞다.

B **02** '책으로 가득 찬 상자'라는 수동의 과거분사 filled가 알맞다.

03 '기다리고 있는 많은 사람들'이라는 능동의 현재분사 waiting이 알맞다.

06 '말하고 있는 그 소녀'라는 능동의 현재분사 talking이 알맞다.

A 해석

01 자고 있는 아기를 깨우지 마라.

02 우리는 공원에서 달리고 있는 개를 보았다.

03 Taylor는 구워진 옥수수를 먹을 수 없었다.

04 나는 정원에서 찍힌 사진을 골랐다.

05 너는 모자를 쓴 새로운 학생을 아니?

06 그 깨진 창문을 조심해라.

B 해석

01 무대에서 노래하고 있는 저 남자는 누구니?

02 책으로 채워진 그 상자는 책상 위에 있다.

03 우리는 버스 정류장에서 기다리고 있는 많은 사람을 보았다.

04 그들은 지난달에 지어진 도서관에 방문했다.

05 나는 할아버지가 그리신 그림을 발견했다.

06 경찰관과 말하고 있는 그 소녀는 내 여동생이다.

감정을 나타내는 분사

개념 원리 확인   p. 103

A 01 tired   02 moving
    03 interesting   04 scared
    05 pleased   06 boring

B 01 You have an amazing skill.
    02 Why was your friend shocked?
    03 They were pleased with my idea.
    04 The concert was interesting.
    05 Louis was surprised by the news.
    06 The game was very exciting.

A **02** a story(이야기)가 '감동적인' 것이 자연스러우므로 현재분사 moving이 알맞다.

04 the members(구성원들)가 the loud noise(큰 소리)에 '겁먹은' 것이 자연스러우므로 scared가 알맞다.

05 그가 결과에 '기쁨을 느끼는' 것이 자연스러우므로 과거분사 pleased가 알맞다.

B **02** your friend(네 친구)가 충격적인 감정을 느끼는 것이므로 과거분사 shocked(충격받은)가 알맞다.

04 the concert(콘서트)는 감정을 유발하는 주체이므로 interesting(재미있는)이 알맞다.

A 해석

01 그 학생들은 매우 피곤함을 느꼈다.

02 그녀는 감동적인 이야기를 읽었다.

03 내 남동생은 재미있는 소년이다.

04 그 구성원들은 큰 소리에 겁먹었다.

05 그는 결과에 만족했니?

06 우리는 그 지루한 영화가 마음에 들지 않는다.

B 해석

01 너는 놀라운 기술을 가지고 있다.

02 왜 네 친구는 충격을 받았니?

03 그들은 내 아이디어에 만족해했다.

04 그 콘서트는 재미있었다.

05 Louis는 그 소식에 놀랐다.

06 그 경기는 매우 흥미진진했다.

정답과 해설

01 We found the burned building.

02 The news was shocking.

03 Look at the girl painting the wall.

04 The soccer game was exciting.

05 The music was touching.

06 The students looked bored.

07 The boy sitting on the bench is my cousin.

08 The girl woke up the sleeping cat.

09 The flowers delivered yesterday smell good.

10 Did your brother buy a used car?

01 수동의 의미이므로 과거분사가 알맞다.

02~05 능동의 의미이므로 현재분사가 알맞다.

06 The students(학생들)가 지루한 감정을 느끼는 것이므로 과거분사 bored(지루해하는)가 쓰였다.

07~08 능동의 현재분사 sitting과 sleeping이 쓰였다.

09 수동의 과거분사 delivered가 쓰였다.

10 중고차는 '사용된'이라는 수동의 의미로 과거분사 used가 쓰였다.

3일

동명사 II

개념 원리 확인   p. 107

A   01 주어   02 전치사의 목적어

    03 주어   04 동사의 목적어

    05 전치사의 목적어   06 보어

B   01 watching   02 making

    03 eating   04 winning

A   01, 03 동명사가 주어일 때 동사는 3인칭 단수형으로 쓴다.

    02, 05 doing은 전치사 about의 목적어, saying은 전치사 without의 목적어이다.

B   01, 02 동사와 전치사의 목적어로 쓰인 동명사이다.

    03 주어로 쓰인 동명사이다.

    04 보어로 쓰인 동명사이다.

A   **해석**

    01 채소를 먹는 것은 너에게 좋다.

    02 나는 숙제를 하지 않은 것을 후회했다.

    03 사진 찍는 것은 쉽지 않다.

    04 그들은 막 저녁 먹는 것을 마쳤다.

    05 그 아이는 한마디 말도 없이 상자를 열었다.

    06 그의 직업은 동물원에서 동물들을 돌보는 것이다.

동명사와 현재분사

개념 원리 확인   p. 109

A   01 동명사   02 동명사   03 현재분사

    04 현재분사   05 동명사   06 현재분사

B   01 달리는 호랑이들을 봐라.

    02 우리는 나무에서 자고 있는 코알라를 보았다.

    03 나는 가구를 만드는 것에 흥미가 있다.

    04 그의 계획은 전 세계를 여행하는 것이다.

    05 나는 신나는 무언가를 배우고 싶다.

    06 피아노 치기는 재미있는 활동이다.

A   01~02 명사 역할을 하는 동명사이다.

    03 현재진행 시제에 쓰인 현재분사이다.

    04, 06 명사를 꾸미는 현재분사이다.

    05 dancing shoes는 '무용할 때 신는 신발'이라는 의미로, dancing은 동명사이다.

B   01, 02, 05 명사를 꾸미는 현재분사이다.

    03, 04, 06 명사 역할로 쓰인 동명사이다.

A   **해석**

    01 내 취미는 재즈 음악을 듣는 것이다.

    02 교실에서 달리는 것은 위험하다.

03 그 원숭이는 나무에 오르고 있다.

04 나는 벤치에 앉아있는 소년들을 보았다.

05 그녀는 가게에서 무용할 때 신는 신발을 샀다.

06 수영장에서 수영하고 있는 사람들이 있다.

01 I enjoy listening to music.

02 Learning English is easy.

03 I'm sorry for making a noise.

04 Do you know the woman in the waiting room?

05 He's good at baking bread.

06 I gave up going to the movies.

07 She finished reading the novel.

08 There is a boy wearing sunglasses.

09 Some people are running in the park.

10 Planning a trip is not easy.

01, 06, 07 동명사가 동사의 목적어로 쓰였다.

02, 10 동명사가 문장의 주어로 쓰였다.

03, 05 동명사가 전치사의 목적어로 쓰였다.

04 'waiting room'은 기다리기 위한 방(대기실)이라는 의미로 용도나 목적을 나타내는 동명사를 쓰는 것이 알맞다.

08 wearing은 명사를 수식하는 현재분사이다.

09 running은 진행을 나타내는 현재분사이다.

해석

01 나는 음악 듣는 것을 즐긴다.

02 영어를 배우는 것은 쉽다.

03 시끄럽게 해서 미안하다.

04 너는 대기실에 있는 여자를 아니?

05 그는 빵 굽는 것을 잘한다.

4일

수 일치

개념 원리 확인　　　　　　　　　p. 113

A 01 are　　02 look　　03 has
　 04 don't　05 are　　06 is
B 01 need　　02 have　　03 is
　 04 increases　05 was　　06 protect

A 02 jeans(청바지)는 항상 복수인 명사이므로 look(~해 보이다)이 알맞다.

　 05 'a number of+복수 명사'는 '많은 ~'이라는 뜻으로 복수 동사와 함께 쓰이므로 are가 알맞다.

B 01 the old는 '나이 많은 사람들', the young은 '젊은 사람들'이라는 뜻의 복수이므로 need(필요로 하다)가 알맞다.

　 02 both ~는 '~ 둘 다'라는 뜻이며 복수 동사와 함께 쓰이므로 have(가지고 있다)가 알맞다.

　 04 'the number of+복수 명사'는 '~의 수'라는 뜻으로 단수 동사와 함께 쓰이므로 increases(증가하다)가 알맞다.

A 해석

01 과학자 둘 다 매우 똑똑하다.

02 그 청바지는 네게 잘 어울린다.

03 모든 선수는 팀에서 역할이 있다.

04 가난한 사람들은 먹을 음식이 충분하지 않다.

05 많은 학생들은 현장 학습을 가고 있다.

06 2 km는 걷기에 먼 거리이다.

B 해석

01 나이 많은 사람들은 젊은 사람들로부터의 도움이 필요하다.

02 Amy와 그녀의 여동생 둘 다 곱슬머리를 가지고 있다.

03 1만은 9999 다음에 오는 숫자이다.

04 방문객의 수가 매년 증가한다.

05 '리어왕'은 셰익스피어가 썼다.

06 선글라스는 태양으로부터 네 눈을 보호한다.

시제 일치

개념 원리 확인   p. 115

A   01 ○   02 ○   03 ×

     04 ×   05 ×

B   01 gets   02 has   03 wrote

     04 was   05 leaves

A 03 역사적 사실은 주절의 시제와 상관없이 과거시제로 써야 하므로 ends는 ended가 되어야 한다.

04 주절의 시제가 과거이면 종속절은 과거나 과거완료만 쓸 수 있으므로 is는 was 또는 had been이 되어야 한다.

05 종속절이 현재의 반복되는 일을 나타내므로 현재시제를 써서 closes가 되어야 한다.

B 01, 02, 05 종속절이 습관, 속담이나 시간표일 때 항상 현재시제로 써야 한다.

03~04 역사적 사실은 항상 과거시제로 쓴다.

A 해석

01 우리는 물이 0도에서 어는 것을 알았다.

02 나는 그 남자가 유명한 가수라고 생각한다.

03 우리는 제2차 세계 대전이 1945년에 끝났다고 배웠다.

04 그는 그의 아버지가 선생님이셨다고 내게 말했다.

05 너는 매주 화요일에 체육관이 문을 닫는다는 것을 아니?

4일   기초 집중 연습   pp. 116~117

01 She said that the Earth goes around the Sun.

02 Three thousand won was enough to buy sandwiches.

03 The Netherlands is famous for tulips.

04 The deaf use sign language.

05 We learned that Columbus discovered America in 1492.

06 Both you and I don't like sports.

07 A number of people were watching the game.

08 I did my best to pass the exam

09 Every student has to follow the rules.

10 she drinks coffee every day

01, 10 불변의 진리와 습관은 항상 현재시제로 쓴다.

02, 03, 09 금액, 나라 이름, 'every+단수명사'는 단수 취급한다.

04, 06, 07 'the+형용사', both ~, 'a number of+복수명사'는 복수 취급한다.

05 역사적 사실은 과거시제로 쓴다.

08 주절의 시제가 과거이면 종속절의 시제는 과거와 과거완료만 쓸 수 있다.

해석

01 그녀는 지구가 태양 주위를 돈다고 말했다.

02 3천 원은 샌드위치를 사기에 충분했다.

03 네덜란드는 튤립으로 유명하다.

04 청각장애인들은 수화를 사용한다.

05 우리는 콜럼버스가 미국을 1492년에 발견했다고 배웠다.

5일

접속사 since, if

개념 원리 확인   p. 119

A   01 주어+동사   02 if

     03 현재   04 since

B   01 can't   02 Since   03 will keep

     04 rains   05 was   06 can't

B 01, 06 since가 '~때문에'라는 뜻의 이유를 나타낸다.

02, 05 since가 '~이후로'라는 뜻의 때를 나타낸다.

04 조건을 나타내는 접속사 if가 쓰인 절에서 현재시제가 미래의 의미를 나타내므로 rains가 알맞다.

B 해석

01 나는 감기에 걸렸기 때문에 아무 맛도 볼 수 없다.

02 그녀는 어렸을 때부터 피아노를 쳤다.

03 만약 네가 운동을 한다면 계속 건강할 것이다.

04 만약 내일 비가 온다면 나는 수영하러 가지 않을 것이다.

05 그는 여덟 살 때부터 그 집에서 살았다.

06 너는 너무 작기 때문에 롤러코스터를 탈 수 없다.

접속사 before, after

개념 원리 확인   p. 121

A 01 1, 2   02 1, 2   03 2, 1
   04 2, 1   05 2, 1
B 01 Before   02 after
   03 after you take some medicine
   04 After I turned off the light
   05 Before they went to the museum

A 01, 03, 05 접속사 after는 '~한 후에'라는 뜻이므로 after가 이끄는 부사절이 먼저 한 일이다.

02, 04 접속사 before는 '~하기 전에'라는 뜻이므로 before가 이끄는 부사절이 나중에 한 일이다.

B 01, 05 '~하기 전에'를 의미하는 접속사 before를 사용하여 문장을 완성한다.

02~04 '~한 후에'를 의미하는 접속사 after를 사용하여 문장을 완성한다.

A 해석
   01 조 씨는 점심을 먹은 후에 산책을 했다.
   02 나는 학교에 가기 전에 책을 읽었다.
   03 간식을 먹은 후에 숙제를 해라.
   04 그들은 기차를 타기 전에 물을 샀다.
   05 그녀는 개를 씻기고 난 후에 할머니께 전화했다.

5일 기초 집중 연습   pp. 122~123

01 If it snows

02 Since they missed the bus

03 since I was 10 years old

04 Before he took an exam

05 After she saw the accident

06 will run away if I see

07 had a stomachache since she ate

08 was a doctor before he became

09 made sandwiches after we washed

10 has played badminton since he was

01, 06 접속사 if가 '만약 ~한다면'이라는 의미로 쓰였다.

02, 07 접속사 since가 '~때문에'라는 의미로 쓰였다.

03, 10 접속사 since가 '~이후로'라는 의미로 쓰였다.

04, 08 접속사 before는 '~하기 전에'라는 뜻이다.

05, 09 접속사 after는 '~한 후에'라는 뜻이다.

특강 창의·융합·코딩   pp. 126~129

A 1 was broken by Sujin
   2 was caught by the police
   3 is loved in Korea
   4 Was, built in 1902
   5 were not bought by her
   6 be cooked by a chef
   7 were solved by him
B 1 if   2 cried   3 after
   4 taking   5 boring   6 lost
   7 written
C 1 was made   2 not, eaten
   3 Was, fixed   4 sitting
   5 exciting, excited 6 swimming, swimming
   7 is   8 were
   9 if   10 makes
   11 I have studied English since
   12 나는 피곤했기 때문에

A 1~7 수동태는 'be동사+과거분사' 형태로 나타내며, 부정문은 'be동사+not+과거분사', 의문문은 'Be동사+주어+과거분

사 ~?'로 나타낸다.

B **4** '~하는 것'이라는 의미의 동명사 형태를 쓴다.

5 감정을 유발하는 현재분사가 알맞다.

6 주절의 시제가 과거이면 종속절의 시제는 과거/과거완료를 써야 하므로 lost가 알맞다.

7 수동의 의미를 나타내는 과거분사가 알맞다.

C **1~3** 수동태는 'be동사＋과거분사' 형태로 나타내며, 부정문은 'be동사＋not＋과거분사', 의문문은 'Be동사＋주어＋과거분사 ~?'로 나타낸다.

4, 5 능동의 의미는 현재분사, 수동의 의미는 과거분사로 쓴다.

6 현재분사는 진행시제에 쓰이며, 동명사는 명사 역할을 한다.

7, 8 작품 이름은 단수 취급하며, 'a number of＋복수명사'는 복수 취급한다.

9 '만약 ~한다면'을 의미하는 접속사는 if이다.

10 속담이나 격언은 항상 현재시제로 쓴다.

11, 12 접속사 since는 '~이후로'와 '~때문에'라는 의미로 쓰인다.

C 해석

1 장난감 자동차는 내 할아버지가 만드셨다.

2 과자는 아이들에 의해 먹어지지 않았다.

3 그 차는 Judy에 의해 고쳐졌니?

5 그 게임은 흥미진진했다. 나는 흥미진진해졌다.

7 '작은 아씨들'은 내가 가장 좋아하는 소설이다.

8 많은 오렌지들이 탁자 위에 있었다.

12 나는 피곤했기 때문에 집에 일찍 갔다.

| 3주 | 누구나 100점 테스트 | pp. 130 ~ 131 |

01 b **02** b

03 Don't wake up the sleeping baby.

04 He enjoys watching horror movies.

05 I will not go swimming if it rains tomorrow.

---

06 Louis was surprised by the news.

07 before I went to school

08 not used, The computers are not used by the students.

09 was, He told me that his father was a pilot.

10 since, I have lived in Paris since I was 5.

01 수동태 의문문으로 주어는 be동사와 수 일치하므로 Was는 Were가 되어야 한다.

02 jeans(청바지)는 항상 복수인 명사이므로 looks는 look이 되어야 한다.

03 '자고 있는 아기'라는 능동의 현재분사 sleeping이 알맞다.

04 동명사가 동사의 목적어 역할을 하므로 watching이 알맞다.

05 if 부사절에서 현재시제가 미래를 나타내므로 rains가 알맞다.

06 감정을 느끼는 과거분사 surprised가 사용된 문장이다.

07 '~하기 전에'를 의미하는 접속사 before가 사용된 문장이다.

08 수동태의 부정문은 'be동사＋not＋과거분사' 형태로 쓰므로 not used가 알맞다.

09 주절의 시제가 과거이면 종속절은 과거나 과거완료만 쓸 수 있으므로 was가 알맞다.

10 '~이후로'라는 뜻의 때를 나타내는 접속사 since가 알맞다.

| 이번 주에는 무엇을 공부할까? ❷ | pp. 134 ~ 135 |

❷-1 **01** as much as **02** as fast as
03 as funny as **04** as heavy as
05 as old as **06** as sweet as

❷-2 **01** a few **02** a little
03 few **04** a lot of
05 little **06** many

❷-1 해석

01 Chris는 Alice만큼 많이 먹는다.

02 쥐는 고양이만큼 빨리 달렸다.

03 그 영화는 그 책만큼 재미있다.

04 그 탁자는 그 책상만큼 무겁다.

05 이 시계는 저 반지만큼 오래됐다.

06 저 쿠키는 이 도넛만큼 단맛이 났다.

❷-2 [해석]

01 사람들이 몇 명 있었다.

02 우리는 단지 약간의 시간이 있었다.

03 나는 공원에서 새를 거의 못 봤다.

04 Jessica는 많은 책을 읽을 것이다.

05 병에는 주스가 거의 없다.

06 그들은 어제 많은 사진을 찍었다.

비교급과 최상급

개념 원리 확인   p. 137

A **01** faster   **02** hotter

  03 cheapest   **04** better

  05 most   **06** worse

B **01** older than   **02** the best

  03 worse than   **04** the most beautiful

A **01, 02, 04, 06** 비교를 나타내는 표현 다음에 than(~보다)이 쓰였으므로 빈칸에는 비교급이 알맞다.

  05 3음절 이상의 형용사 최상급은 'the most+형용사' 형태로 쓴다. 비교 대상이 장소나 집단일 때는 in을 쓴다.

B **02** '…에서 가장 ~한'이라는 의미의 최상급을 사용하여 문장을 완성한다. good(좋은)의 최상급은 best이다.

  03 '…보다 더 ~한'이라는 의미의 비교급을 사용하여 문장을 완성한다. bad(안 좋은)의 비교급은 worse이다.

A [해석]

01 호랑이는 기린보다 더 빠르다.

02 어제는 오늘보다 더 더웠다.

03 이 코트는 세 개 중 가장 저렴하다.

04 White 씨는 Lucy보다 스페인어를 더 잘 말한다.

05 저 의자는 상점에서 가장 편한 것이 아니다.

06 아빠의 영어는 내 영어보다 더 서투르다.

여러 가지 비교급 표현

개념 원리 확인   p. 139

A **01** 두 번째 darker 앞   **02** colder 앞

  03 cheaper 앞   **04** it 앞

  05 more 앞

B **01** far   **02** easier

  03 earlier   **04** smaller and smaller

  05 more, more

A **01** '점점 더 ~한'의 의미인 '비교급 and 비교급' 형태이므로 비교급과 비교급 사이에 and를 쓴다.

  03, 05 비교급을 강조하는 말 even, much는 비교급 앞에 쓴다.

  04 '~하면 할수록 더 …한'의 의미인 'the 비교급 ~, the 비교급…'이 쓰인 문장이다. the 비교급 뒤에는 '주어+동사'가 오므로 it tastes 앞이 알맞다.

B **01** 비교급을 강조해주는 말 far가 알맞다. 비교급을 강조하는 말은 비교급 앞에 쓴다.

  02, 04 '비교급 and 비교급'은 '점점 더 ~한'의 의미이다.

  03, 05 '~하면 할수록 더 …한'의 의미인 'the 비교급 ~, the 비교급 …' 형태가 쓰인 문장이다.

B [해석]

01 물은 다이아몬드보다 훨씬 더 유용하다.

02 빵 굽는 것은 점점 더 쉬워지고 있었다.

03 우리가 더 빨리 출발하면 할수록 더 일찍 도착할 것이다.

04 내 스웨터는 점점 더 작아졌다.

05 네가 더 많이 경험하면 할수록 더 많이 배운다.

1일 기초 집중 연습   pp. 140 ~ 141

01 the strongest in his class

02 The heavier, the faster

03 more interesting than

04 warmer and warmer

05 a lot more important than

06 The more it rains, the higher the river rises.

07 My brother is far lazier than Eric.

08 He is the eldest of three sons.

09 Alice's voice was getting louder and louder.

10 The sooner you apply, the sooner you begin.

02, 06, 10 the 비교급 ~, the 비교급 …: ~하면 할수록 더 … 한

04, 09 비교급 and 비교급: 점점 더 ~한

05 a lot은 비교급을 강조하는 말로, 비교급 앞에 쓴다.

07 far는 비교급을 강조하는 말로, 비교급 앞에 쓴다.

2일

여러 가지 최상급 표현

개념 원리 확인   p. 143

A 01 최상급   02 복수

     03 과거분사

     04 지금까지 …한 것 중 가장 ~한

B 01 fastest   02 oldest

     03 longest   04 ever met

     05 subjects   06 in

B 04 'the 최상급+명사+(that+)주어+have/has ever +과거분사'는 '지금까지 …한 것 중 가장 ~한'을 의미하므로 ever met 어순이 알맞다.

---

05 'one of the+최상급+복수명사'는 '가장 ~한 … 중 하나' 를 의미하므로 복수명사가 알맞다.

06 'the 최상급+in+장소·범위'는 '…에서 가장 ~한'을 의미 하므로 in이 알맞다.

B 해석

01 그녀는 그들 모두 중 가장 빠른 주자였다.

02 이것은 우리가 지금까지 본 것 중 가장 오래된 건물이다.

03 그것은 그 나라에서 가장 긴 터널 중 하나이다.

04 Smith 씨는 그녀가 지금까지 만난 사람 중 가장 친절한 남 자였다.

05 수학은 그녀에게 가장 어려운 과목 중 하나이다.

06 Erica는 동아리에서 가장 지적인 사람이다.

원급 비교

개념 원리 확인   p. 145

A 01 early   02 as

     03 not as   04 not as new

     05 comfortable   06 as old

B 01 not as crowded as

     02 as slowly as

     03 not as famous as

     04 as high as

A 01, 02, 05 '…만큼 ~한/하게'의 의미로 원급 비교를 할 때 as와 as 사이에는 항상 형용사나 부사의 원급을 쓴다.

03, 04, 06 원급 비교의 부정은 'not as+형용사/부사의 원급+as'이다.

B 01, 03 원급 비교의 부정은 'as+형용사/부사의 원급+as' 앞에 not을 쓴다.

02, 04 '…만큼 ~한/하게'의 의미로 원급 비교를 할 때 as와 as 사이에는 항상 형용사와 부사의 원급을 쓴다.

A 해석

01 나는 보통 아빠만큼 일찍 일어난다.

02 David는 피자를 햄버거만큼 많이 좋아한다.

03 파란색 가방은 빨간색 가방만큼 비싸지 않다.

04 내 컴퓨터는 네 것만큼 새 것이 아니다.

05 이 소파는 저것만큼 편안하니?

06 Christina는 Ted만큼 나이가 많지 않다.

2일 기초 집중 연습　　pp. 146 ~ 147

01 as bright as the moon

02 one of the most important things

03 not as diligent as

04 the most interesting book (that)

05 the most beautiful in the country

06 The apples are not as fresh as

07 That is one of the worst restaurants

08 These shoes are the cheapest in the store.

09 Her heart was as heavy as the stone.

10 the funniest story that I've ever heard

02 'one of the 최상급' 뒤에 복수명사를 쓰는 것에 유의한다.

03, 06 원급 비교의 부정은 'not as+형용사/부사의 원급+as' 이다.

04, 10 'the 최상급+명사+that+주어 have/has ever+과 거분사'는 '지금까지 …한 것 중 가장 ~한'의 의미이다. that과 ever는 생략하기도 한다.

07 bad의 최상급은 worst이다.

3일

형용사와 부사
개념 원리 확인　　p. 149

A **01** 부사　　　　**02** 부사

03 형용사　　　　**04** 부사

05 형용사　　　　**06** 부사

B **01** fast　　　　**02** bad

03 Suddenly　　**04** late

05 colorful　　　**06** hungry

A **01** very(매우)는 뒤에 오는 또 다른 부사 quickly(빨리)를 수 식하는 부사이다.

05 hard는 뒤에 오는 명사 worker(직원)를 수식하는 형용사 로 '열심히 하는'이라는 뜻으로 쓰였다.

B **01** fast는 형용사와 부사의 형태가 같다. 동사 drive(운전하 다)를 수식하고 있으므로 부사 fast(빨리)가 알맞다.

04 동사 came(왔다)을 수식하고 있으므로 '늦게'라는 의미로 쓰인 부사 late가 알맞다. lately는 '최근에'라는 의미의 부 사이다.

06 감각동사 뒤에는 형용사를 쓰는데, 이때 형용사는 주어의 상 태나 성질을 나타낸다.

A 해석

01 시간이 매우 빨리 지나갔다.

02 Sam은 아침에 일찍 잠에서 깼다.

03 그 요리사는 맛있는 감자 수프를 만들었다.

04 다행스럽게도, Daniel은 기차를 놓치지 않았다.

05 그녀는 그녀의 회사에서 열심히 일하는 직원이었다.

06 그 젊은 남자는 꽤 정직했다.

B 해석

01 그녀는 그녀의 차를 빨리 운전하지 않는다.

02 Lucy는 이번 주에 심한 감기에 걸렸다.

03 갑자기 그들은 그 마을을 떠났다.

04 그 감독은 경기에 늦게 왔다.

05 Miller 씨는 알록달록한 옷을 입는 것을 좋아한다.

06 소녀들은 지금 배고프니?

정답과 해설

수량 형용사

개념 원리 확인 p. 151

A	01 little	02 some
	03 Few	04 much
	05 a lot of	06 a few
B	01 few	02 a little
	03 some	04 any

A 01 snow는 셀 수 없는 명사이므로 little이 알맞다.

02 '약간의'라는 뜻으로 긍정문에 쓰였으므로 some이 알맞다.

05 milk는 셀 수 없는 명사이므로 셀 수 있는 명사와 셀 수 없는 명사를 모두 수식하는 a lot of(많은)가 알맞다.

06 셀 수 있는 명사(books) 앞에는 a few가 알맞다.

B 01 '거의 없는'이라는 뜻의 수량 형용사가 필요한데, 셀 수 있는 명사와 쓸 수 있는 것은 few가 알맞다.

04 셀 수 있는 명사와 셀 수 없는 명사 앞에 쓸 수 있는 수량 형용사 any가 부정문에 쓰이면 '조금도 …아니다'라는 의미이다.

A 해석

01 지난겨울에 눈이 거의 오지 않았다.

02 그녀는 나를 위해 약간의 꽃을 샀다.

03 이 장소에 대해 아는 사람은 거의 없다.

04 Ted는 너무 많은 돈을 신발에 소비했다.

05 아기는 하루에 많은 우유를 마신다.

06 나는 서점에서 책을 몇 권 살 것이다.

3일 기초 집중 연습 pp. 152 ~ 153

01 He talked sadly about the accident.

02 We met a kind clerk at the bookstore.

03 Luckily, they all passed the math test.

04 Would you like some cheesecake?

05 Don't put too much salt in the soup.

06 There was a little juice in the bottle.

07 They moved a few chairs into the living room.

08 She came to the class too late.

09 We saw a lot of pineapples at the farm.

10 Few middle school students attended the event.

01 동사를 꾸미는 부사 sadly로 써야 한다.

02 명사 clerk을 꾸미는 형용사 kind로 써야 한다.

03 문장 전체를 수식하는 부사 Luckily로 써야 한다.

04 Would you like some ~?을 써서 권유한다.

05 salt는 셀 수 없는 명사이므로 much로 써야 한다.

06~07 셀 수 없는 명사 앞에는 a little(약간의)을, 셀 수 있는 명사 앞에는 a few(약간의)를 쓴다.

09 a lot of(많은)는 셀 수 있는 명사와 셀 수 없는 명사 앞에 모두 쓸 수 있다.

해석

01 그는 사고에 관해 슬프게 말했다.

02 우리는 서점에서 친절한 직원을 만났다.

03 다행히도 그들은 모두 수학 시험에 통과했다.

04 치즈케이크를 좀 드시겠어요?

05 수프에 소금을 너무 많이 넣지 마라.

4일

명령문, and/or

개념 원리 확인 p. 155

A	01 Have	02 and	03 and
	04 or	05 Be, or	06 Open, and
B	01 c	02 f	03 a
	04 b	05 d	06 e

A 01, 04, 05 '~해라, 그렇지 않으면 …할 것이다'라는 의미는 '명령문, or' 형태이다.

02, 03, 06 '~해라, 그러면 …할 것이다'라는 의미는 '명령문, and' 형태이다.

B 01 '천천히 말해라, 그렇지 않으면 그들이 너를 이해하지 못할 것이다.'라는 의미로 '명령문, or'의 문장이 자연스럽다.

05 '최선을 다해라, 그러면 너는 성공할 것이다.'라는 의미로 '명령문, and'의 문장이 자연스럽다.

A 해석

01 쉬어라, 그렇지 않으면 너는 더 좋아지지 않을 것이다.

02 책을 많이 읽어라, 그러면 너는 똑똑해질 것이다.

03 오른쪽으로 돌아라, 그러면 너는 식당이 보일 것이다.

04 서둘러라, 그렇지 않으면 너는 아침을 먹을 수 없다.

05 잘 듣는 사람이 되어라, 그렇지 않으면 사람들이 너를 좋아하지 않을 것이다.

06 창문을 열어라, 그러면 너는 신선한 공기를 마실 것이다.

B 해석

01 천천히 말해라, 그렇지 않으면 그들은 너를 이해하지 못할 것이다.

02 버스를 타라, 그러면 너는 제시간에 거기에 도착할 것이다.

03 소금을 좀 넣어라, 그러면 수프가 더 맛있을 것이다.

04 모자를 써라, 그렇지 않으면 너는 햇볕에 탈 것이다.

05 최선을 다해라, 그러면 너는 성공할 것이다.

06 재킷을 입어라, 그렇지 않으면 너는 감기에 걸릴 것이다.

강조의 do

개념 원리 확인   p. 157

A 01 do   02 does   03 whisper
   04 taste   05 did   06 did
B 01 like 앞   02 have 앞
   03 set 앞   04 miss 앞
   05 play 앞   06 close 앞

A 03, 04 동사를 강조하는 조동사 do/does/did 뒤에는 동사원형이 온다.

05, 06 last week(지난주)와 four hours ago(4시간 전)가 과거를 나타내므로 did가 알맞다.

B 03, 04, 06 과거시제이므로 강조의 조동사 did가 동사 앞에 오는 것이 알맞다.

05 주어는 복수이고, 현재시제이므로 강조의 조동사 do가 play 앞에 오는 것이 알맞다.

A 해석

01 Eric과 나는 양파를 정말 좋아한다.

02 그는 그녀의 이름을 정말로 기억한다.

03 James는 정말로 나에게 속삭였다.

04 이 컵케이크들은 정말로 놀라운 맛이 난다.

05 내 삼촌은 정말로 지난 주말에 쇼핑하러 갔다.

06 그들은 4시간 전에 정말로 나에게 이메일을 보냈다.

B 해석

01 그녀는 도시에 사는 것을 정말 좋아한다.

02 우리는 사과 파이 요리법을 정말로 갖고 있다.

03 나는 알람을 정말로 맞췄지만, 울리지 않았다.

04 내 부모님은 어제 기차를 정말로 놓치셨다.

05 쌍둥이는 정말로 토요일마다 아빠와 함께 배드민턴을 친다.

06 Paul은 나가기 전에 창문을 정말로 닫았다.

4일 기초 집중 연습   pp. 158 ~ 159

01 Jay does like to walk his dog in the afternoon.

02 You do know a lot about Korean history.

03 She did clean the dog house last Friday.

04 Paul and I did buy the new books last weekend.

05 My grandfather does grow tomatoes in the garden.

06 Try harder, or you won't get better.

07 Food does go bad quickly in warm weather.

08 Kelly did cancel the meeting last night.

09 Drink warm milk, and you'll fall asleep.

10 We do want to become astronauts.

정답과 해설

01~05 동사를 강조할 때는 조동사 do를 쓴다. 동사가 3인칭 단수 현재시제일 때는 does, 그 외 현재시제에는 do를 쓴다. 동사가 과거시제일 때는 did를 쓴다. 조동사 do/does/did 다음에는 동사원형을 쓰는 것에 주의한다.

06 '명령문, or'은 '~해라, 그렇지 않으면 …할 것이다'라는 뜻이다.

09 '명령문, and'는 '~해라, 그러면 …할 것이다'라는 뜻이다.

해석

01 Jay는 오후에 개를 산책시키는 것을 정말로 좋아한다.

02 너는 한국 역사에 대해 정말로 많이 알고 있다.

03 그녀는 지난 금요일에 개집을 정말로 청소했다.

04 Paul과 나는 지난 주말에 새 책을 정말로 샀다.

05 내 할아버지는 정원에서 토마토를 정말로 기르신다.

부정대명사

개념 원리 확인   p. 161

A **01** the other **02** another
    03 the others **04** others
B **01** Some **02** One
    03 others **04** the other
    05 the others **06** the other

B **01, 03** 많은 것 중 일부는 some, 또 다른 일부는 others로 나타낸다.

02, 04 둘 중 하나는 one, 나머지 하나는 the other로 나타낸다.

05 많은 것 중에서 하나는 one, 나머지 전부는 the others로 나타낸다.

06 셋 중 하나는 one, 또 하나는 another, 나머지 하나는 the other이다.

B **해석**

01 일부는 딸기를 좋아하고 또 다른 일부는 포도를 좋아한다.

02 우리는 소녀를 두 명 만났다. 한 명은 키가 작았고 나머지 한 명은 키가 컸다.

03 일부는 White 씨에게 투표했고 또 다른 일부는 Evans 씨에게 투표했다.

04 나는 셔츠를 두 개 샀다. 한 개는 저렴했고 나머지 한 개는 비쌌다.

05 그녀는 책이 네 권 있다. 한 권은 어린이용이고 나머지 전부는 성인용이다.

06 나는 펜이 세 개 있다. 한 개는 검정색, 또 한 개는 빨간색, 나머지 한 개는 파란색이다.

상관접속사

개념 원리 확인   p. 163

A **01** and **02** or
    03 only **04** either
    05 but **06** Both
B **01** either roses or tulips
    02 Not Jimmy but his brother
    03 both easy and interesting
    04 not only cooking but also swimming

A **03** 'A뿐만 아니라 B도'를 의미하는 'not only *A* but also *B*'가 자연스러우므로 빈칸에는 only가 알맞다.

05 'A가 아니라 B'라는 의미의 'not *A* but *B*'가 자연스러우므로 빈칸에는 but이 알맞다.

B **01** 'A나 B 둘 중 하나'는 'either *A* or *B*'로 표현한다.

02 'A가 아니라 B'는 'not *A* but *B*'로 표현한다.

04 'A뿐만 아니라 B도'는 'not only *A* but also *B*'로 표현한다. A와 B에는 동명사가 대등하게 쓰였다.

A **해석**

01 나는 바지와 치마 둘 다 사고 싶다.

02 Meg나 Brian 둘 중 한 명은 답을 알았다.

03 Justin은 재미있을 뿐만 아니라 다정하다.

04 자전거를 타거나 걸어서 공원에 가자.

05 남 씨는 음악 교사가 아니라 가수이다.

06 소윤이와 주원이 둘 다 영어를 잘 말한다.

5일 기초 집중 연습　　　　pp. 164~165

01 Both singing and dancing

02 One is small and the other is large.

03 uniforms and others wear jeans

04 either soda or juice

05 not only the museum but also the zoo

06 우리는 점심으로 피자나 파스타 둘 중 하나를 먹을 것이다.

07 그는 요리 수업이 아니라 태권도 수업을 들었다.

08 그녀는 공포와 코미디 영화 둘 다 보고 싶다.

09 남자가 세 명 있다. 한 명은 작가, 또 한 명은 선생님, 나머지 한 명은 치과 의사이다.

10 나는 친구가 네 명 있다. 한 명은 캐나다 출신이고 나머지 전부는 이탈리아 출신이다.

01 'both *A* and *B*'를 주어로 쓸 때에는 복수 취급 하여 동사는 are로 쓴다.

03 많은 것 중에서 일부는 some, 또 다른 일부는 others로 나타낸다.

04, 06 'A나 B 둘 중 하나'는 'either *A* or *B*'로 쓴다.

05 'not only *A* but also *B*'는 'A뿐만 아니라 B도'의 의미이다.

07 'A가 아니라 B'는 'not *A* but *B*'로 쓴다.

10 많은 것 중 하나는 one, 나머지 전부는 the others로 쓴다.

특강 | 창의·융합·코딩　　　　pp. 168~171

A **1** longer, more　　**2** or, worst
　　3 the, others

B **1** most　　　　　　**2** far
　　3 as, as　　　　　　**4** few
　　5 and　　　　　　　**6** Both

C **1** most
　　2 네가 책을 읽으면 읽을수록 너는 더 많이 배운다.
　　3 women
　　4 David studied not as hard as Lily.
　　5 a little
　　6 quickly
　　7 or
　　8 They did get to school on time.
　　9 others
　　10 or
　　11 One is a boy and the other is a girl.
　　12 그는 작가일뿐만 아니라 배우였다.

A **1** 비교급 and 비교급: 점점 더 ~한
　　the 비교급 ~, the 비교급 …: ~하면 할수록 더 …한

　　2 명령문, or: ~해라, 그렇지 않으면 …할 것이다
　　the 최상급+명사+that+주어+have/has ever+과거분사: 지금까지 …한 것 중 가장 ~한

　　3 one ~ the others …: (많은 것 중) 하나는 ~ 나머지 전부는 …

B **1** 3음절 이상의 형용사의 최상급은 형용사 앞에 most를 쓴다.

　　2 비교급을 강조할 때는 비교급 앞에 far, even, still 등을 쓴다.

　　3 'as+형용사/부사의 원급+as'는 '…만큼 ~한'의 뜻이다.

　　4 few는 셀 수 있는 명사 앞에 쓰며, '거의 없는'이라는 뜻이다.

　　5 명령문, and: ~해라, 그러면 …할 것이다

　　6 both *A* and *B*: A와 B 둘 다

C **1** difficult는 3음절 이상의 형용사이므로, 최상급은 most difficult이다.

　　2 the 비교급 ~, the 비교급 …: ~하면 할수록 더 …한

　　3 'one of the 최상급' 뒤에 복수명사를 쓰므로 women이 알맞다.

정답과 해설

4 'as+형용사/부사의 원급+as'의 부정은 앞에 not을 쓴다.

5 water는 셀 수 없는 명사이므로 '약간의'라는 의미의 a little이 알맞다.

6 very는 부사로, 또 다른 부사인 quickly를 꾸민다.

7 명령문, or: ~해라, 그렇지 않으면 …할 것이다

8 동사를 강조할 때는 조동사 do를 쓴다. 동사가 got으로 과거 시제이므로 did get을 쓴다.

9 some ~ others …: 일부는 ~ 또 다른 일부는 …

10 either *A* or *B*: A나 B 둘 중 하나

11 둘 중 하나는 one, 나머지 하나는 the other로 나타낸다.

12 not only *A* but also *B*: A뿐만 아니라 B도

B 해석

1 Sam은 우리 학교에서 가장 부지런한 소년이다.

2 Paul은 Emma보다 훨씬 더 빨리 손을 들었다.

3 야구는 축구만큼 인기가 있다.

4 바닥에는 상자가 거의 없다.

5 왼쪽으로 돌아라, 그러면 너는 버스 정류장을 볼 수 있다.

6 파리와 로마 둘 다 유명한 도시이다.

C 해석

1 수학은 내게 가장 어려운 과목이다.

3 그녀는 회사에서 가장 바쁜 여자들 중 한 명이다.

4 David는 Lily만큼 열심히 공부하지 않았다.

5 그는 컵에 약간의 물을 부었다.

6 그 남자는 집을 무척 빨리 청소했다.

7 조심해라, 그렇지 않으면 너는 다칠 것이다.

8 그들은 정말로 제시간에 학교에 도착했다.

9 일부는 버스로 왔고 또 다른 일부는 차로 왔다.

10 우리는 금요일이나 일요일 둘 중 하루에 떠날 것이다.

4주 누구나 100점 테스트　　pp. 172~173

01 a 　　　　　　　　**02** a

03 The sooner we leave, the earlier we will arrive.

04 Luckily, she found the lost cat.

05 They did send me an e-mail four hours ago.

06 The book is not as famous as the movie.

07 You do know a lot about Korean history.

08 Few, Few students attended the event.

09 or, Let's go to the park either by bike or on foot.

10 or, Stop talking, or everyone will fall asleep.

01 두 대상의 비교를 나타내는 표현이므로 than 앞에 비교급 faster가 오는 것이 알맞다.

02 동사 came을 수식하는 부사는 late로 써야 한다. lately는 '최근에'라는 의미이다.

03 '~하면 할수록 더 …한'의 의미로 'the 비교급 ~, the 비교급 …'의 형태가 알맞다.

04 부사 Luckily가 문장 전체를 수식한다.

05 four hours ago가 과거를 나타내므로 did로 써야 한다.

06 'not as+형용사/부사의 원급 as'의 형태이다.

07 동사를 강조할 때는 조동사 do를 쓴다.

08 셀 수 있는 명사 앞에는 수량 형용사 few(거의 없는)가 와야 한다.

09 'A나 B 둘 중 하나'는 'either *A* or *B*'의 형태로 나타낸다.

10 '~해라, 그렇지 않으면 …할 것이다'라는 의미는 '명령문, or'의 형태가 알맞다.

중학 필수 영문법 기본서

티칭 말고 코칭! 문법 전문 G코치

G코치
(Grammar Coach)

한눈에 보는 개념

이미지와 인포그래픽으로 구성한
용어/개념을 한눈에 보며
쉽고 재미있게 문법 이해!

연습으로 굳히기

다양한 유형으로 충분히 반복 연습하여
개념 이해도를 확인하고,
부족한 부분은 별책 부록 워크북으로 보충!

QR코드 짤강

QR코드로 용어와 개념에 관한
짧은 애니메이션 강의 무료 제공!
간단명료한 설명으로 문법 클리어!

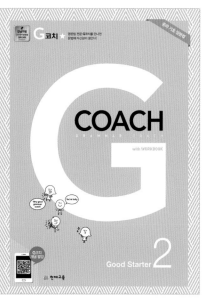

G코치를 만나면 문법에 자신감이 생긴다! 예비중~중3 (Good Starter 1~2, Level 1~3)

정답은
이안에
있어!

시작은 하루 중학 영어

- 문법 1, 2, 3
- 어휘 1, 2, 3

이 교재도 추천해요!

- G코치 (Grammar Coach)
- 3초 보카

시작은 하루 중학 사회 / 역사

- 사회 ①, ②
- 역사 ①, ②

시작은 하루 중학 과학

- 1-1, 1-2
- 2-1, 2-2
- 3-1, 3-2

배움으로 행복한 내일을 꿈꾸는
천재교육 커뮤니티 안내 · · ·

교재 안내부터 구매까지 한 번에!
천재교육 홈페이지

천재교육 홈페이지에서는 자사가 발행하는 참고서,
교과서에 대한 소개는 물론 도서 구매도 할 수 있습니다.
회원에게 지급되는 별을 모아 다양한 상품 응모에도
도전해 보세요.

구독, 좋아요는 필수! 핵유용 정보 가득한
천재교육 유튜브 <천재TV>

신간에 대한 자세한 정보가 궁금하세요?
참고서를 어떻게 활용해야 할지 고민인가요?
공부 외 다양한 고민을 해결해 줄 채널이 필요한가요?
학생들에게 꼭 필요한 콘텐츠로 가득한 천재TV로 놀러 오세요!

다양한 교육 꿀팁에 깜짝 이벤트는 덤!
천재교육 인스타그램

천재교육의 새롭고 중요한 소식을 가장 먼저 접하고 싶다면?
천재교육 인스타그램 팔로우가 필수!
누구보다 빠르고 재미있게 천재교육의 소식을 전달합니다.
깜짝 이벤트도 수시로 진행되니 놓치지 마세요!